Tableaux Culturels de la France

Tableaux

J. Suzanne Ravisé

Los Angeles Valley College

lturels de la France

National Textbook Company, Skokie, Illinois

Acknowledgments

The publisher gratefully acknowledges the assistance of the following agencies in obtaining illustrations for this book:

Art Reference Bureau
Bibliothèque Nationale, Paris
Documentation Française
French Embassy Press and Information Division
French Government Tourism Office
Los Angeles County Museum of Art
National Gallery of Art, Washington, D.C.

Preface

Tableaux culturels de la France discusses the main aspects of French civilization, history, literature, the arts and the sciences, within each chronological period; it also presents contemporary France, the French people and their customs. It is designed to meet the requirements in French civilization for second year French classes at the college level, as well as for third and fourth year classes at the secondary school level.

The aim of the book is two-fold: to teach the language while imparting cultural knowledge which the student may find useful in current or future activities. Many books have been written on the subject; however, most fail to provide adequate coverage of the culture of the country—or they use a language style not suitable for teaching everyday conversational French at this level. This book has been written to provide as much cultural information as possible while keeping the language simple. The vocabulary (except for a few special subjects), and sentence structure are directed toward practical application in everyday situations. For this reason, the literary past, or "passé simple," has been avoided. The "passé composé" has been used instead, in order to present it in conjunction with the "imparfait", a combination which is seldom found in the texts read by the students, in spite of the fact that it is one of the main difficulties of the spoken language.

The questions at the end of each chapter serve to review the material and should be used to achieve a conversational situation in the classroom, avoiding the reading of prepared answers by the students. The "sujets de composition", which follow the questions, can be used as the basis for short oral reports and/or written compositions; they should strive toward self-expression rather than consisting of quotations from the text.

I wish to thank my colleagues, especially Mr. Jay Merson and Mrs. Rosalyn Stern, as well as my sister, Mrs. Jacqueline Brown for their help, constructive suggestions and forbearance while this book was being written. Many thanks also go to the various French Government Agencies, Mr. A. S. Villa, Chairman of the Foreign Language Department of Los Angeles Valley College, and to my friend Dr. R. J. Perlmutter, who have furnished most of the photographs used in this book; and to Mrs. Dorine Stafford, illustrator, who prepared the maps included in the text.

J. SUZANNE RAVISE

April, 1970

Table des Matières

PREMIÈRE PARTIE

Autrefois

Les Gaulois ont laissé
peu de traces dans le pays
mais on retrouve leurs
traits de caractère chez
beaucoup de Français.
(*T. Suquet*)

Chapitre 1

La Gaule
et la période
Gallo-Romaine

L'Histoire

Les premiers ancêtres véritables des Français appartenaient à des tribus venues des plaines de l'Europe Centrale qui comprenaient parmi d'autres les Celtes, les Belges et les Ibères; on les appelle les Gaulois. A cette époque, vers l'an 500 avant Jésus-Christ, la France s'appelait la Gaule et Paris s'appelait Lutèce. Les Gaulois avaient le teint clair, les yeux bleus et les cheveux blonds. Ils étaient bavards violents, batailleurs. Ils aimaient bien boire et bien manger. Les Gaulois étaient surtout des agriculteurs et des éleveurs de bétail, mais ils avaient bien développé les industries de la laine et du fer.

Comme beaucoup de peuples primitifs, les Gaulois peuplaient la nature de dieux nombreux et ils adoraient des phénomènes naturels comme le feu, le tonnerre, les sources, ou des astres comme le soleil et la lune. Le gui du chêne était leur plante sacrée et ils croyaient qu'elle avait le don de guérir toutes les maladies. Les druides étaient à la fois prêtres, médecins et juges et ils occupaient une place importante dans la société gauloise.

Le dernier chef gaulois Vercingétorix est le premier héros national français. Il a défendu le pays contre les Romains commandés par Jules César; il a uni les tribus gauloises et les a encouragées à s'opposer aux envahisseurs. Il a cependant perdu la bataille d'Alésia en 52 av. J.C. parce que les Romains étaient mieux armés et mieux disciplinés. Jules César a emmené Vercingétorix à Rome où il a été

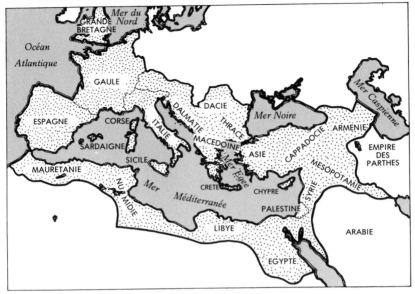

exécuté six ans plus tard. Malgré sa défaite, Vercingétorix est célèbre pour son esprit d'indépendance et son amour de la liberté—traits de caractère importants chez les Français.

Après la chute d'Alésia, les Romains ont établi leur domination sur toute la Gaule. Ils ont transformé le pays qui est devenu paisible et très prospère, car les guerres entre tribus ont cessé. Ils y ont bâti de nombreux monuments dont on peut encore voir les ruines et ils ont construit de belles routes. Les Gaulois ont adopté les coutumes et surtout la langue des vainqueurs, le latin, qui est l'ancêtre du français moderne. L'administration romaine a duré environ 500 ans, jusqu'au milieu du Ve siècle.

Les Arts

1. Les premières œuvres d'art françaises remontent à une époque préhistorique, le Paléolithique Supérieur. Ce sont des dessins peints et gravés sur les murs des grottes du Sud-Ouest de la France: Lascaux, Cro-Magnon, etc. Ces dessins représentent surtout des

Ces dessins, qui se trouvent dans des grottes à Lascaux, sont étonnants de fraîcheur, de "modernisme" et de vie.

Quel peuple a dressé ces énormes pierres à Carnac? Comment? Pourquoi? . . . Autant de questions toujours sans réponses.

animaux—chevaux, bisons, taureaux—avec un très grand réalisme et on pense qu'ils ont peut-être une signification religieuse.

2. Les premiers monuments français datent aussi de la préhistoire, de l'Age du Bronze. On les trouve en Bretagne, surtout à Carnac. Ce sont d'énormes pierres très lourdes qui se dressent vers le ciel, les menhirs, ou bien des tables de pierre, les dolmens, ou bien des alignements en ligne droite ou circulaire. Ces vestiges gigantesques, que l'on peut voir aussi en Angleterre, appartiennent à une civilisation inconnue.

La Gaule et la période Gallo-Romaine   5

Très bien conservées, les arènes romaines de Nîmes servent encore pour les courses de taureaux.

La "Maison Carrée" de Nîmes est le temple romain le mieux conservé de France.

La taille imposante du théâtre de Lyon donne une idée de l'importance de cette ville à l'époque gallo-romaine.

3. Il reste peu de choses de la civilisation gauloise, mais il y a encore en France de nombreux monuments de la période gallo-romaine. On peut encore voir des arènes à Paris, mais c'est surtout au sud de la France, dans la vallée du Rhône, que l'on trouve les principaux monuments: arènes de Nîmes et d'Arles; "La Maison Carrée" de Nîmes (le temple romain le mieux conservé de France),

Le Pont du Gard
est en réalité un
aqueduc romain,
doublé d'un pont à
l'étage inférieur. Il a
été restauré sous
Napoléon III.

bâtie pendant le règne de l'empereur Auguste, successeur de Jules César; les théâtres d'Arles et d'Orange; l'arc de triomphe d'Orange; et d'autres encore. Le plus beau monument gallo-romain est à la fois un aqueduc et un pont: le Pont du Gard qui se trouve près de Nîmes.

Questions

L'HISTOIRE

1. Qui sont les véritables ancêtres des Français?
2. Comment s'appelait la France? Et Paris?
3. Décrivez les Gaulois, leurs occupations et leur religion.
4. Pourquoi Vercingétorix est-il important?
5. Qu'est-ce que les Romains ont fait en Gaule?
6. Combien de temps leur administration a-t-elle duré?

LES ARTS

1. Quelles sont les premières œuvres d'art françaises? Où les trouve-t-on?
2. Décrivez des monuments mégalithiques. Dans quelle partie de la France y en a-t-il?
3. Nommez des monuments de la Gaule romaine et dites où ils se trouvent.
4. Quelle est la différence entre un aqueduc et un pont?

Sujets de Composition Française

1. Expliquez comment les Romains ont changé le cours de l'histoire de France. A votre avis, ces changements ont-ils eu un bon ou un mauvais résultat?
2. Décrivez les différents monuments de la Gaule romaine. Quelles sont leurs qualités artistiques?

Roi des Francs,
empereur d'Occi-
dent, Charlemagne
a été un grand
civilisateur.

Chapitre 2

Le Haut
Moyen Age

L'Histoire

LES FRANCS

Vers la fin de la période gallo-romaine, l'Empire romain d'Occident est devenu faible. La frontière du Rhin entre la Gaule et la Germanie (l'Allemagne moderne) était mal défendue. Les membres des tribus germaniques, appelés les "Barbares" ont envahi la Gaule et, vers la fin du Ve siècle, la tribu la plus importante, celle des Francs, occupait une grande partie du pays. Les Francs étaient très batailleurs et ils se battaient continuellement entre eux et contre les Romains. Finalement, le gouvernement romain s'est effondré, la civilisation gallo-romaine a disparu et les habitants sont retournés à la vie barbare.

Cependant, les Francs ont adopté la langue et la religion des vaincus: le latin et le christianisme. C'est ainsi que Clovis (roi de 481 à 511) a été le premier roi franc à devenir chrétien en 496. Il a réussi à réunir toute la Gaule—devenue la Francie—sous son pouvoir mais, après sa mort, le royaume a été partagé entre ses quatre fils selon la coutume franque, et les grands chefs des différentes tribus sont redevenus indépendants.

Après 300 ans de guerre et d'anarchie, le grand roi franc Charlemagne, qui a régné de 768 à 814, a fait beaucoup pour le progrès de la civilisation. Il a établi une domination unique sur toute la France; il a conquis une partie de l'Espagne après avoir lutté

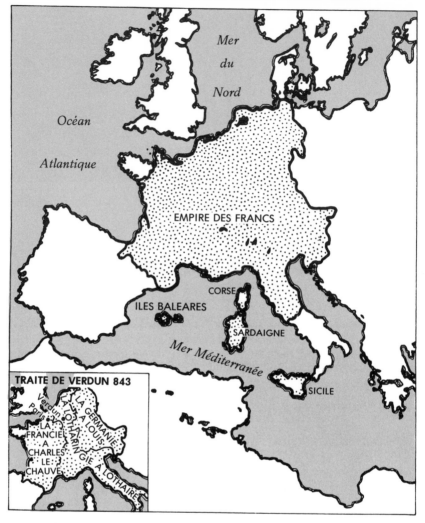

EMPIRE DE CHARLEMAGNE VERS 800

Mer
du
Nord

Océan

Atlantique

EMPIRE DES FRANCS

CORSE
ILES BALEARES
SARDAIGNE

Mer Méditerranée

SICILE

TRAITE DE VERDUN 843

Verdun
POIS
LA GERMANIE
A LOUIS
LA LOTHARINGIE A LOTHAIRE
LA
FRANCIE
A
CHARLES
LE
CHAUVE

contre les Maures ou Musulmans, et il est devenu maître de l'Italie et de la Germanie. En l'an 800 il a été couronné empereur par le pape à Rome. D'autre part, il a fondé des écoles et des bibliothèques, encouragé l'étude de la langue et de la littérature latines, et fait des lois justes.

Mais les successeurs de Charlemagne ont été aussi faibles que ceux de Clovis. Un traité célèbre, le traité de Verdun, signé en 843, a partagé l'empire de Charlemagne entre ses trois petits-fils, et l'aîné, Charles le Chauve, est ainsi devenu roi de France. Après la signature de ce traité, la France est devenue indépendante et elle l'est toujours restée jusqu'à nos jours.

Cependant, l'autorité des rois s'est affaiblie; la guerre et l'anarchie ont reparu dans tout le pays. De nouvelles invasions aux IXe et Xe siècles ont ajouté au désordre : les Vikings, venus par mer des pays scandinaves, que les Français ont appelé Normands (les hommes du nord). Ils pillaient les villages et massacraient les habitants des côtes de France. En 911, le roi de France, Charles le Simple, leur a donné le territoire qui est devenu la Normandie. Leur chef Rollon s'est fait chrétien et est devenu vassal du roi de France sous le titre de duc de Normandie.

En 987 Hugues Capet a fondé la dynastie capétienne. Ses descendants ont régné jusqu'en 1848 (sauf entre 1793 et 1815). Jusqu'à la fin du XIIᵉ siècle, le roi est resté très faible, sans aucun pouvoir réel sur les grands seigneurs du royaume.

LA RELIGION ET LA SOCIÉTÉ

Du Vᵉ au Xᵉ siècle, la religion chrétienne a pénétré dans les campagnes. Les moines, de plus en plus nombreux, s'occupaient surtout de la culture des champs, en plus de leurs activités religieuses. Dans cette société grossière, le chrétien, naïf, très croyant, vivait dans un monde imaginaire de miracles, de démons, d'anges et de saints.

Grâce à leurs excellents navires, les Normands traversaient les mers, remontaient les fleuves et attaquaient les villes. On les voit ici faisant le siège de Paris en 845.

Tête de Christ de style roman. Basilique de la Madeleine à Vézelay.

Vers la fin du Haut Moyen Age (fin XIᵉ siècle), le régime féodal était à peu près établi. En principe, les nobles les plus puissants—comme les comtes et les ducs—étaient les vassaux ("vassal" au singulier) du roi, leur seigneur ou suzerain. Ils tenaient de lui en fief—c'est-à-dire en prêt—leurs immenses territoires où ils exerçaient un pouvoir absolu. Ce rapport entre seigneur et vassal était répété aux degrés inférieurs de la noblesse jusqu'au simple chevalier. Les paysans, appelés serfs, étaient presque des esclaves. Ils cultivaient les domaines des seigneurs ou bien ils produisaient ou fabriquaient tout ce dont le seigneur avait besoin. Ils devaient une grande partie de leur récolte ou de leur travail au seigneur qui avait le droit de vie ou de mort sur eux. Par contre, celui-ci avait le devoir de les protéger en cas de guerre ou de danger.

La vie des seigneurs était partagée entre la guerre, la chasse et les tournois. C'était une société guerrière, basée sur l'héritage des titres (comte, duc, etc.) et des domaines; sur les droits seigneuriaux; sur le contrat moral entre le seigneur et le vassal; et sur l'exploitation de l'homme par l'homme, qui attachait le paysan et l'artisan sur la terre où ils étaient nés.

Comme la société, la majorité du clergé au Xe siècle était ignorante, grossière, et n'observait plus les règles de l'Église, ni des ordres monastiques. A cette époque, l'Église a commencé un mouvement de réformes pour rétablir la discipline. L'abbaye bénédictine de Cluny en Bourgogne, fondée en 910, a donné l'exemple et a aidé— avec les autres hommes d'Église—à humaniser la société féodale. C'est alors que la chevalerie est née, avec son caractère "chevaleresque." L'idéal du chevalier était d'agir avec honneur, d'être courtois, d'aider les faibles et les opprimés, de faire des prouesses, de servir Dieu et, plus tard, d'honorer sa "Dame."

LA CONQUÊTE DE L'ANGLETERRE

C'est pendant la deuxième moitié du XIe siècle que le duc de Normandie, Guillaume le Conquérant, devenu complètement français, est parti à la conquête de l'Angleterre. Il a gagné la bataille d'Hastings en 1066 et il est devenu le maître de ce pays où il a apporté la langue et la civilisation françaises. Guillaume et ses descendants sont devenus rois d'Angleterre, mais, comme ils étaient

La Tapisserie de Bayeux raconte, par l'image, la conquête de l'Angleterre.

toujours ducs de Normandie, ils sont restés vassaux du roi de France et c'est cela qui a créé, pendant de nombreuses années, la rivalité entre les deux pays.

La Littérature

Le premier document en vieux français est le texte des *Serments de Strasbourg* échangés en 842 entre Louis le Germanique et Charles le Chauve, petits-fils de Charlemagne, s'alliant contre leur frère Lothaire. Le texte est assez éloigné du Latin pour qu'on y trouve les marques d'une nouvelle langue.

La littérature des Français, comme celle de tous les autres peuples, commence par la poésie qui traduit les émotions et qui est plus facile à comprendre que le raisonnement. Il nous reste quelques petits poèmes de cette époque, mais la plupart étaient chantés par les trouvères et les troubadours, hommes qui allaient de château en château et de ville en ville pour distraire les seigneurs et la population. Ces poèmes se transmettaient oralement et n'étaient généralement pas écrits: c'est pourquoi nous en avons très peu.

Pendant cette période, tous les documents importants et la correspondance étaient écrits en latin; cette coutume s'est prolongée jusqu'en 1539 lorsque le roi François Ier a ordonné la rédaction des actes officiels en français. Elle a cependant continué jusqu'au XVIIe siècle pour les documents scientifiques et religieux.

Les Arts

L'ARCHITECTURE RELIGIEUSE

Les premières églises chrétiennes étaient bâties sur le principe de la basilique romaine qui se servait de l'arc rond pour supporter les ouvertures et qui était couverte d'un toit en bois où le risque d'incendie était très grand, ou bien de larges pierres horizontales qui étaient difficiles à transporter et à mettre en place.

Vers le IXe siècle, l'architecture religieuse se transforme et donne naissance à un art nouveau, né en France, que l'on appelle l'art

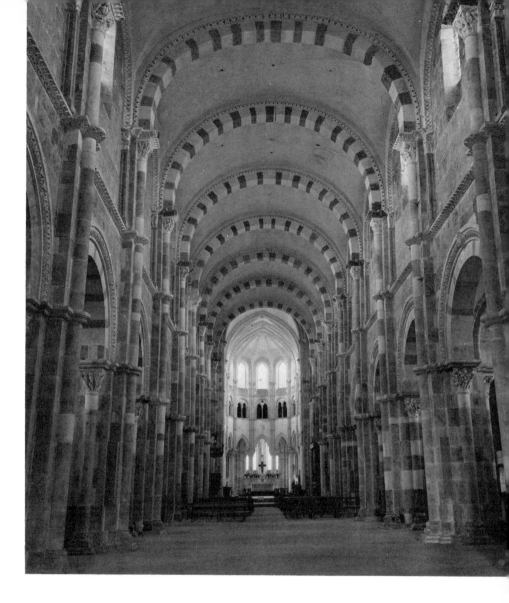

La basilique Sainte-Madeleine à Vézelay faisait partie d'une abbaye.   Elle a été commencée au XIᵉ siècle.

roman parce qu'il est basé sur l'arc rond utilisé dans les bâtiments romains. Les églises sont construites en forme de croix latine et sont couvertes d'une voûte en pierre. Des murs très épais, doublés de contreforts à l'extérieur et percés de très petites ouvertures, supportent le poids de la voûte. A l'intérieur, de gros piliers massifs aident aussi à la soutenir. La façade est surmontée de clochers peu élevés.

L'art roman était encore massif, prisonnier de la pierre. Voici une sculpture du XIIᵉ siècle.

Ces églises ont un aspect massif, elles donnent une impression de lourdeur et elles sont très sombres à l'intérieur.

Les bas-reliefs et les sculptures qui décorent les églises romanes représentent surtout des scènes de l'Ancien et du Nouveau Testament. Les personnages sont longs et minces et ils semblent souvent tourmentés par le poids de leurs fautes. Les sculpteurs romans n'appliquent pas les lois de la perspective, ils ne respectent pas les proportions; ils cherchent surtout à enseigner les fidèles qui ne savent pas lire et à peindre l'émotion religieuse. Leurs œuvres comprennent aussi des lignes géométriques (ou arabesques), des plantes stylisées et des monstres ailés, gravés ou sculptés dans la pierre.

Les principales églises romanes sont: Saint-Germain-des Prés à Paris, l'église abbatiale de la Madeleine à Vézelay (Bourgogne), Notre-Dame-la-Grande à Poitiers, Saint-Trophime à Arles, Saint-Sernin à Toulouse et l'abbaye aux Hommes à Caen.

La cathédrale de Poitiers, très décorée, est pleine de charme. Ses tours ont une forme curieuse.

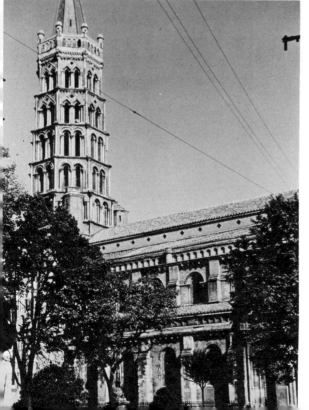

La basilique Saint-Sernin de Toulouse est une des églises romanes les plus vastes.

L'ARCHITECTURE CIVILE

Les châteaux forts ont été construits pour les seigneurs. Ils ont des murs épais avec de très petites ouvertures placées haut dans les murs. Ce sont des bâtiments de défense contre les attaques de nombreux ennemis: barbares, pillards, ou seigneurs qui veulent agrandir leur domaine. Les meilleurs exemples sont les châteaux de Chinon, Falaise, Fougères, Angers, Château-Gaillard.

Les villes sont fortifiées aussi. Elles sont entourées de murs épais.

Bien placé au sommet de la colline d'où il surveillait la vallée et le fleuve, le seigneur pouvait voir arriver l'ennemi de loin, à l'abri derrière les murs épais de son château fort.

La vieille cité de Carcassonne n'a pas changé depuis des siècles et la ville nouvelle s'est étendue de l'autre côté de la rivière.

18

L'exemple le plus beau et le plus complet est la vieille Cité de Carcassonne dans le Sud-Ouest de la France, dont l'enceinte fortifiée date du XIIIᵉ siècle.

Questions

L'HISTOIRE
1. Pourquoi la civilisation gallo-romaine a-t-elle disparu?
2. Qu'est-ce que les Francs ont pris aux vaincus?
3. Comment s'appelle le premier roi franc chrétien? Etait-il puissant? Pourquoi?
4. Quelle est l'œuvre de Charlemagne?
5. Qu'est-ce que le traité de Verdun?
6. Quels sont les nouveaux envahisseurs de la France aux IXᵉ et Xᵉ siècles? Que sont-ils devenus?
7. Quand et par qui la dynastie capétienne a-t-elle été fondée?
8. Décrivez le régime féodal.
9. Qui est Guillaume le Conquérant? Qu'a-t-il fait d'important?
10. Pourquoi le vocabulaire de la langue anglaise est-il semblable au vocabulaire de la langue française?

LA LITTÉRATURE
1. Quel est le premier document en français?
2. Comment commence la littérature en France? Pourquoi?
3. Pourquoi avons-nous peu de poèmes de cette époque?
4. En quelle langue écrivait-on autrefois les documents importants en France? A quel moment est-ce que la coutume a changé?

LES ARTS
1. Comment étaient bâties les premières églises chrétiennes?
2. Comment ont-elles été bâties à partir du IXᵉ siècle? Quelles sont les caractéristiques qui distinguent les nouvelles églises des précédentes?
3. Comment sont les décorations des églises romanes? A quoi servent ces "tableaux de pierre?"
4. Nommez quelques églises d'art roman et dites où elles se trouvent.
5. Comment étaient les villes et les habitations des seigneurs pendant cette période?

Sujets de Composition Française

1. Quelles sont les caractéristiques des églises romanes? En quoi sont-elles semblables ou différentes des bâtiments romains?
2. Décrivez l'œuvre de Charlemagne. Pensez-vous qu'elle ait été utile pour le progrès de la civilisation?
3. Comparez la conquête romaine et les invasions barbares de la fin du Vᵉ siècle.

Sur cette miniature du XIVe siècle on peut voir le roi saint Louis qui parle
à son fils. (*Holzapfel*).

Chapitre 3

Le Moyen Age

L'Histoire

Cette période s'étend sur quatre siècles, du XIIe au XVe siècle. La prospérité et le progrès marquent les XIIe et XIIIe siècles. Au XIVe siècle, tout s'arrête à cause de la Guerre de Cent Ans.

LES CROISADES

A la fin du XIe siècle, la Terre Sainte, où de nombreux chrétiens allaient en pèlerinage, est conquise par un peuple musulman, les Turcs, qui leur refusent l'entrée de Jérusalem. Alors, au lieu d'y aller individuellement ou par petits groupes, les chrétiens forment des troupes armées pour se défendre contre les cruautés et les persécutions des Turcs.

En 1095, le pape Urbain II, français de la grande abbaye de Cluny, organise une expédition armée pour aller reprendre la Terre Sainte aux Turcs. Les hommes portent une croix de drap rouge sur l'épaule et sont appelés des croisés: c'est le début des croisades. Il y a eu huit croisades entre 1096 et 1270 et les Français y ont joué un rôle important. Pierre l'Ermite a prêché la première croisade et Godefroy de Bouillon l'a commandée. Le roi Philippe Auguste a été un des chefs de la troisième croisade (avec Richard Coeur de Lion, roi d'Angleterre). Villehardouin a été l'historien et un des chefs de la quatrième. Le roi saint Louis (Louis IX) a organisé et commandé les septième et huitième. Il est mort de la peste pendant cette dernière à Tunis en Afrique.

Jérusalem a été prise par les croisés en juillet 1099 et est restée chrétienne jusqu'à 1187. Elle a été reprise en 1229 pour être perdue définitivement pour les chrétiens en 1244.

LES ROIS

Pendant cette période, les rois capétiens ont travaillé pour étendre leurs possessions personnelles et pour augmenter leur autorité. Ils ont établi le principe de la monarchie héréditaire par laquelle le fils aîné hérite seul de toutes les possessions de son père. Ils se sont battus contre le roi d'Angleterre qui était toujours duc de Normandie et qui avait obtenu par mariage de grands territoires en France (environ un tiers du pays lui appartenait). Les rois de France lui ont arraché la Normandie et des pays en bordure de la Loire comme la Touraine. Par ces conquêtes, par des achats et par des mariages, le domaine royal s'est étendu sur une grande partie du territoire. L'énergie de Philippe Auguste, roi de 1180 à 1223, l'exemple chrétien de Louis IX (saint Louis), qui a régné de 1226 à 1270, et l'intelligence rusée de Philippe le Bel, dont le règne a duré de 1285 à 1314, ont beaucoup contribué à augmenter le prestige et l'autorité du roi.

LA GUERRE DE CENT ANS

1. Ses causes et les Premières Batailles. En 1328, le roi de France est mort ne laissant que deux filles. Comme une fille ne pouvait pas hériter de la couronne, d'après une vieille loi qui datait des premiers Francs, c'est un cousin, Philippe de Valois, qui est devenu l'héritier. Mais le roi d'Angleterre, Edouard III, petit-fils de Philippe le Bel par sa mère, a réclamé la couronne de France. Les grands seigneurs et les docteurs de l'Eglise ont refusé de la lui donner pour deux raisons: (a) une raison légale: une femme ne peut pas transmettre des droits qu'elle n'a pas elle-même; et (b) une raison politique: on ne voulait pas, en France, être sujet du roi d'Angleterre. Ainsi a commencé une guerre qui n'a fini qu'en 1453—c'est la Guerre de Cent Ans.

Les Anglais ont d'abord remporté de grandes victoires à Crécy (1346), à Poitiers (1356) et à Azincourt (1415). Le roi d'Angleterre, aidé de son allié le duc de Bourgogne, a occupé Paris. Le roi de

Cette scène qui se passe en Bretagne a eu lieu dans toute la France. La Guerre de Cent Ans a ruiné le pays.

France, Charles VII, s'est réfugié au sud de la Loire à Bourges. La France était sur le point de perdre la guerre.

2. La Défaite des Anglais et la Fin de la Guerre. Une jeune fille de seize ans l'a sauvée, c'est Jeanne d'Arc. Elle a déclaré que c'était Dieu qui l'envoyait pour aider le roi de France et lui rendre son royaume. Charles VII lui a donné une petite armée et sa première victoire importante a été remportée devant Orléans. Elle a emmené Charles VII à Reims où le sacre de celui-ci a eu lieu dans la cathédrale. Ce sacre était nécessaire pour le faire reconnaître par toute la population. Jeanne d'Arc a continué à attaquer les Anglais et les Bourguignons, mais elle a été faite prisonnière par ces derniers, à Compiègne, puis vendue aux Anglais qui avaient mis sa tête à prix. Elle a été jugée comme hérétique et brulée sur le bûcher à Rouen, le 30 mai 1431.

La campagne de Jeanne d'Arc contre les Anglais, sa piété et son patriotisme, ont redonné du courage à tout le pays. A partir de ce

Jeanne d'Arc était à la tête des soldats qui ont attaqué Orléans et, pour la première fois depuis de longues années, les Français ont été victorieux.

moment, les Anglais ont été chassés de partout en France et en 1453 ils ne gardaient qu'une seule ville en France: Calais.

A la fin de la Guerre de Cent Ans, le pays était dévasté, des bandes de pillards jetaient la terreur partout. Cependant, l'énergie et la bonne fortune de Louis XI, roi de France de 1461 à 1483, et de son fils, Charles VIII, qui a régné de 1483 à 1498, leur ont permis de redresser le pays et de compléter l'annexion de territoires qui ont à peu près donné à la France sa superficie actuelle.

LE DÉBUT DE LA BOURGEOISIE

Dès le XIᵉ siècle, les bourgeois—habitants des bourgs ou villes—ont commencé à s'enrichir par le commerce et par l'industrie. Les seigneurs féodaux ne pouvaient maintenir sur eux la même autorité que sur les paysans et, peu à peu, les habitants des villes se sont émancipés. Au XIIᵉ siècle ils ont arraché aux nobles des libertés et même l'autonomie municipale. A partir de ce moment-là une grande rivalité s'est élevée entre la classe bourgeoise et l'aristocratie seigneuriale qui s'est finalement terminée, au XIXᵉ siècle, par la victoire de la bourgeoisie.

LA LANGUE ET L'INSTRUCTION

1. L'Evolution de la Langue. La langue a changé au cours des siècles. Le latin vulgaire s'est transformé de plus en plus. La division du pays en nombreuses provinces a permis la constitution de nombreux dialectes, mais, du fait de la centralisation administrative à Paris, le dialecte de l'Ile-de-France (la province où se trouve Paris) l'a emporté sur les autres dialectes et il est devenu d'abord le "roman" ou langue romane vers le VIᵉ siècle. Appelée ensuite le français, la langue a continué à évoluer et à partir du XVIIᵉ siècle elle est arrivée à sa structure moderne.

2. La Création des Premières Universités. Pendant que l'activité économique se développait dans les villes, un grand désir de connaissances s'emparait de la population. Des universités ont été établies qui ont répandu la culture parmi les nobles et les bourgeois. La première est celle de Paris que l'on appelle La Sorbonne (1253). Puis d'autres ont été créées, à peu près à la même époque, à Toulouse, Orléans et Montpellier.

La Littérature

LA LITTÉRATURE ARISTOCRATIQUE

1. Les Chansons de Geste. Ce sont de longs poèmes épiques, écrits longtemps après les événements qu'ils racontent. Ils sont basés sur des faits précis, mais les poètes ont grandi les hommes et grossi les événements. Ces œuvres exaltent l'idéal chevaleresque et chrétien de la société féodale au commencement du XIIᵉ siècle.

Il y a beaucoup de chansons de geste; la plus ancienne et la plus célèbre est *La Chanson de Roland*, le premier chef-d'œuvre de la littérature française. On ne sait pas exactement quand ce poème a été écrit ni qui en est l'auteur, mais le poète a créé un drame puissant où il montre son patriotisme —il parle souvent de la "douce France" —sa piété, et sa grande imagination. Cette épopée décrit un combat d'un lieutenant de Charlemagne pendant l'expédition d'Espagne. Dans le poème Roland est devenu le neveu de l'empereur "à la barbe fleurie"; l'histoire est transformée en légende et les personnages pensent et agissent d'une façon héroïque, au service de Dieu et de leur seigneur.

2. Les Romans Courtois. A cette époque le mot "roman" veut simplement dire que l'ouvrage est écrit en langue romane. Les œuvres appelées "romans courtois" sont des poèmes dont la plupart sont basés sur des légendes celtiques: Tristan et Yseult ou le roi Arthur et les chevaliers de la Table Ronde, comme Lancelot, Gauvain et Perceval. Dans ces poèmes le chevalier continue à faire des prouesses mais ce n'est plus pour le service de Dieu ou de son seigneur comme dans les chansons de geste: c'est pour servir la dame qu'il aime. L'amour est donc le thème principal de ce genre littéraire dont le plus grand écrivain est Chrétien de Troyes.

LA LITTÉRATURE BOURGEOISE

Les personnages des chansons de geste et des romans courtois sont des nobles qui se soumettent aux règles de la chevalerie et de la courtoisie. A la même époque il y a un autre courant littéraire "bourgeois" qui présente la vie d'une façon réaliste et qui illustre ce que l'on appelle l'esprit gaulois: mélange de bon sens, de joie de vivre, et d'humour plus ou moins grossier. Cette littérature nous a donné des œuvres diverses:

1. Les fabliaux, contes amusants et satiriques, écrits en vers, dont les sujets sont généralement tirés de la vie de tous les jours. *Le Vilain Mire* (le paysan médecin), dont Molière s'est inspiré lorsqu'il a écrit *Le Médecin malgré lui*, en est un exemple.

2. *Le Roman de Renart*, collection de poèmes dans lesquels les personnages sont des animaux qui, par leurs défauts et leurs qualités, ressemblent à des hommes et agissent comme eux. Cet ouvrage est une parodie de l'épopée ainsi qu'une critique des mœurs de la société.

Où l'on voit Maître Pathelin acheter du drap qu'il promet de payer plus tard . . . (*Petit*).

3. *La Farce de Maître Pathelin* (XVᵉ siècle), comédie dont l'auteur est inconnu. Elle met en scène un marchand, un avocat et un paysan qui, étant aussi malhonnêtes les uns que les autres, se dupent mutuellement. Cette pièce est intéressante par la vérité des caractères, par le mélange de fantaisie, de vérité, de gaieté—parfois grossière—et de finesse, qui en font un chef-d'œuvre. L'expression "revenons à nos moutons"—qui veut dire, revenons à notre sujet— est tirée de cette farce et on l'emploie encore maintenant lorsqu'une discussion s'égare. Le nom Pathelin est aussi utilisé dans la langue courante pour qualifier une personne de caractère souple, rusé et un peu malhonnête (dans ce cas on l'écrit "patelin").

FRANÇOIS VILLON

En dehors des courants littéraires, François Villon (1431-après 1463) est le plus grand poète du Moyen Age et, en même temps, le premier poète moderne. Il a parlé du temps qui détruit la beauté des femmes dans des poèmes comme la *Ballade des Dames du Temps jadis* avec son beau refrain "Mais où sont les neiges d'antan?" Ou bien il a décrit son horreur de la mort dans la *Ballade des Pendus* qui fait penser à une sinistre danse macabre. Dans ses œuvres il a aussi exprimé son repentir devant ses nombreuses fautes car il a

Ꝑ comence le grant coᵭicille ꝗte ſtamēt maiſtre francois Billoɲ

Leuefque

La groſſe margot

Cette illustration représente François Villon. Elle a paru dans l'édition de 1489 de son *Grand Testament*. (*Lauros*).

mené une vie très déréglée et même criminelle. Son chef-d'œuvre s'appelle *Le Grand Testament*. Villon a disparu vers la fin de sa vie et on n'est pas sûr de la date de sa mort.

Les Arts

L'ARCHITECTURE RELIGIEUSE

Au XIIᵉ siècle, les architectes des églises romanes ont découvert une technique nouvelle pour bâtir leurs églises: la voûte d'ogives. Celle-ci est formée du croisement, en diagonale, de deux arcs brisés (l'ogive connue des architectes des églises romanes). Ces nervures croisées, qui partent des piliers, forment la charpente de l'édifice et le poids de la voûte repose ainsi sur les piliers au lieu de tomber sur les murs. Les architectes ont aussi ajouté à l'extérieur du bâtiment des arcs-boutants pour soutenir les murs latéralement. De ce fait, les contreforts ont pu être diminués et même supprimés. Tout ceci allège l'édifice. On a fait de grandes ouvertures dans les murs qui n'étaient plus nécessaires pour soutenir la voûte. Les fenêtres sont devenues plus grandes, plus nombreuses et elles ont été ornées de

Le chevet de la cathédrale de Reims avec ses arcs-boutants.

Vue intérieure de
Notre-Dame
d'Amiens montrant
une voûte d'ogives
au-dessus du
chœur.

magnifiques vitraux ("vitrail" au singulier). Ce style est appelé
"gothique" par erreur parce que les Goths n'en sont pas les auteurs.

Grâce à ces découvertes, les cathédrales gothiques sont devenues
beaucoup plus grandes et plus hautes que les églises romanes et on
y a ajouté de jolies flèches comme celle de Notre-Dame de Paris.
Celle-ci est la première des grandes cathédrales gothiques et elle a
été construite de 1163 à 1345. Ces cathédrales donnent une impression de légèreté, de hauteur et de fragilité: on parle de "dentelle de
pierre" pour les qualifier. Du fait que les murs sont percés de nombreuses ouvertures, elles sont très claires à l'intérieur.

Notre-Dame de
Paris: le jugement
dernier.

Les statues et les décorations qui ornent les cathédrales gothiques
ont plus de relief que celles des cathédrales romanes; les personnages
se détachent de la colonne ou du mur en formes pleines et vivantes,
se détachent de la colonne ou du mur en formes pleines et vivantes
comme le font ceux des scènes en haut-relief qui ornent le dé-
ambulatoire (passage derrière le chœur) de la cathédrale de Chartres.
Les figures deviennent plus réelles, mais d'une humanité idéalisée:
l'ange au sourire de la cathédrale de Reims. Les personnages ne
semblent plus ressentir autant les horribles souffrances des damnés
comme ceux des églises romanes. L'art gothique est un art bien
français qui est né autour de Paris, dans l'Ile-de-France, comme la

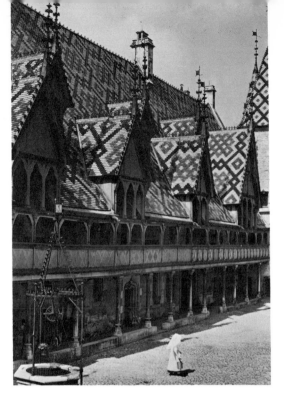

Depuis 1443, rien n'a changé ici: l'Hôtel-Dieu de Beaune est resté le même, et le costume des infirmières aussi.

langue. Il y a une soixantaine de cathédrales gothiques en France; les plus importantes et les plus belles sont celles de Paris, Amiens, Chartres, Reims, Bourges, etc., presque toutes dédiées à Notre-Dame (la Vierge Marie).

L'ARCHITECTURE CIVILE

L'art gothique a eu une grande influence sur les constructions civiles et les châteaux seigneuriaux. Les bâtiments se sont allégés; les ouvertures ont été agrandies. Les portes, les fenêtres, la toiture et même les murs extérieurs ont été revêtus de décorations semblables à celles des cathédrales. Parmi les plus beaux exemples on peut citer l'hôtel de Cluny à Paris, l'hôtel de Jacques Cœur à Bourges, le palais de justice à Rouen, l'hospice de Beaune, les châteaux de Langeais et de Sully-sur-Loire.

LES VITRAUX

L'art du vitrail s'est développé rapidement pour orner les grandes fenêtres des cathédrales gothiques. Les vitraux sont formés de petits morceaux de verre de différentes couleurs assemblés à l'aide d'une armature en métal. Ils représentent des scènes de l'Ancien ou du Nouveau Testament, ou des dessins stylisés, comme les sculptures de l'église. Parmi les plus beaux se trouvent ceux de la cathédrale de Chartres. Cependant, le triomphe de l'art du vitrail est à la Sainte-Chapelle à Paris, construite par Saint Louis qui avait fait le vœu de faire bâtir une chapelle s'il revenait sain et sauf de la septième croisade. Elle a été construite entre 1242 et 1248. Ce bâtiment est constitué d'un squelette de pierre qui est le cadre dans lequel sont placés de magnifiques vitraux. Il n'y a presque pas de murs. C'est peut-être la plus grande merveille de l'architecture gothique.

LA TAPISSERIE

Venu d'Orient, l'art de la tapisserie est renouvelé à la fin du Haut Moyen Age en Occident et devient une création bien française. Les tapisseries servaient de décoration, accrochées aux murs des châteaux seigneuriaux, ou bien elles pendaient des plafonds pour diviser les énormes salles en petites pièces plus intimes et plus chaudes. *La Tapisserie de Bayeux*, fabriquée de 1088 à 1092, représente la con-

Ce vitrail qu'on peut voir à Rouen date de 1335. (*J. Niepce*).

La Dame à la licorne, au musée de Cluny à Paris, est une des tapisseries les plus célèbres du monde et une des plus belles.

quête de l'Angleterre par les Normands. C'est un chef-d'œuvre artistique qui a aussi une grande valeur historique.

La célèbre Manufacture des Gobelins de Paris date du XVe siècle. Le chef-d'œuvre de la fin du XVe siècle est la *Dame à la licorne* (une "licorne" est un animal légendaire), qui est célèbre pour la beauté de ses coloris. Au XVIe siècle des ateliers ont aussi été établis à Arras et à Tournai.

LA PEINTURE

1. Le premier grand artiste français est Jean Fouquet (vers 1420–1480). Il a peint des miniatures où il a représenté des batailles et des paysages avec un grand réalisme. Il a aussi peint des portraits de

rois et d'hommes importants ainsi que des tableaux de la Vierge avec l'enfant Jésus.

2. Les Enluminures sont des dessins coloriés qui ornent les manuscrits. Ceux-ci sont généralement des livres religieux, alors les enluminures représentent surtout des scènes religieuses. Ces dessins sont très décoratifs à cause de leurs couleurs très vives, des arabesques et des plantes stylisées dont ils sont remplis. Comme la tapisserie, cet art date du Haut Moyen Age, mais les plus belles

Une belle œuvre de Jean Fouquet, le premier grand peintre français. (*Bulloz*).

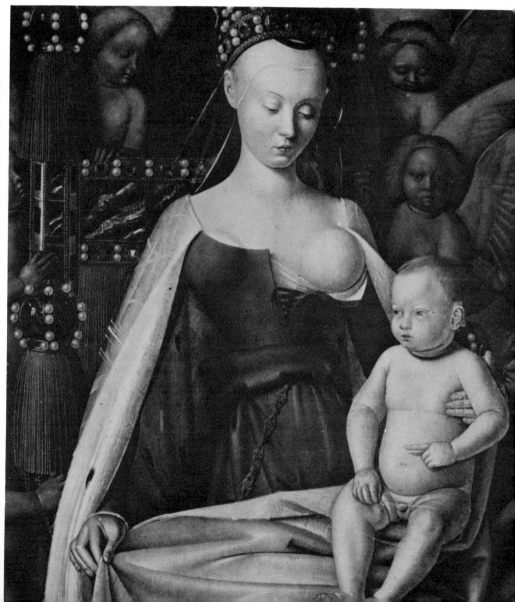

Les *Très Riches Heures du duc de Berry* datent du XVᵉ siècle. Certaines illustrations représentent les principales occupations du peuple suivant les saisons. (*Holzapfel*).

œuvres ont été exécutées à partir du XIIIᵉ siècle. Une des merveilles de l'enluminure, peinte au XVᵉ siècle, se trouve au Musée Condé à Chantilly: *Les Très Riches Heures du duc de Berry*. C'est un livre de prières qui a été exécuté pour le duc Jean de Berry.

Questions

L'HISTOIRE
1. Combien de temps le Moyen Age a-t-il duré?
2. Qu'est-ce que les croisades? Pourquoi ont-elles eu lieu?
3. Nommez des personnages importants pour l'histoire des croisades et dites ce qu'ils ont fait.
4. Comment les rois de France ont-ils augmenté leur autorité et agrandi leurs territoires?
5. Pourquoi la Guerre de Cent Ans a-t-elle eu lieu? Que s'est-il passé au début?
6. Qui a sauvé la France? Racontez son histoire.

7. Comment était le pays à la fin de la Guerre de Cent Ans? Qui l'a redressé?
8. Qui sont les "bourgeois" au Moyen Age? Et maintenant? Comment se sont-ils émancipés?
9. Quel est le dialecte qui est l'ancêtre du français moderne? Pourquoi?
10. Pourquoi les universités ont-elles été créées? Nommez celles qui étaient les plus importantes au Moyen Age.

LA LITTÉRATURE

1. Qu'est-ce qu'une chanson de geste? Quelles sont ses caractéristiques?
2. Quelle est la chanson de geste la plus célèbre? Quelles sont les qualités de cette œuvre?
3. Que veut dire le mot "roman" au Moyen Age?
4. Sur quoi les romans courtois sont-ils basés? Qui en sont les héros? Les connaissiez-vous déjà?
5. Qui est le plus grand écrivain de romans courtois?
6. Qu'est-ce que la littérature bourgeoise? Donnez-en des exemples.
7. Quels sont les héros du *Roman de Renart?*
8. Parlez de la *Farce de Maître Pathelin.*
9. Qui est François Villon? Comment a-t-il vécu?
10. Parlez de ses œuvres.

LES ARTS

1. Quelles sont les nouvelles caractéristiques des cathédrales gothiques?
2. Comparez les décorations d'art roman et celles d'art gothique.
3. Nommez les plus belles cathédrales gothiques de France.
4. Comment l'art gothique a-t-il influencé les constructions civiles? Citez-en quelques-unes.
5. Décrivez un vitrail. Nommez une cathédrale où il y a de très beaux vitraux.
6. Quelle est une des plus grandes merveilles de l'architecture gothique? Décrivez-la.
7. Nommez deux tapisseries importantes.
8. Qui est le plus grand peintre français du XVe siècle? Quelles sont ses principales œuvres?
9. Qu'est-ce que les enluminures? Où les trouve-t-on généralement? Quelles sont leurs caractéristiques?

Sujets de Composition Française

1. Racontez ce qui s'est passé pendant la Guerre de Cent Ans. Quelles sont ses causes et conséquences en France et en Angleterre?
2. Comparez les églises romanes aux cathédrales gothiques. Dites quelles sont celles que vous préférez et pourquoi vous les préférez.
3. Il y a trois formes d'art typiques au Moyen Age: les vitraux, les tapisseries et les enluminures. Comparez-les et dites en quoi elles se ressemblent et en quoi elles diffèrent les unes des autres.

Encore gothique par ses tours, le château d'Azay-le-rideau a déjà la
grâce de la Renaissance. *(Bulloz)*

Chapitre 4

La Renaissance et la Réforme au XVIe siècle

L'Histoire

LA RENAISSANCE

1. Qu'est-ce que la Renaissance? C'est une période pendant laquelle les Occidentaux ont redécouvert les idées, les connaissances, la philosophie des Anciens, c'est-à-dire la civilisation antique des Grecs et des Romains. Il ne faut cependant pas croire que cette dernière avait été totalement ignorée pendant le Moyen Age car le passage d'une époque à l'autre ne s'est pas fait brusquement. En effet, il y avait eu plusieurs petites renaissances au Moyen Age dont la plus importante avait eu lieu au moment de l'établissement des universités au XIIIe siècle. D'autre part, les goûts et les façons de penser du Moyen Age ont coexisté pendant de nombreuses années avec les idées nouvelles de la Renaissance pendant le XVIe siècle.

2. Ses Principales Causes.

(a) L'Année 1453 est une année importante pour la Renaissance parce qu'elle a marqué la fin de la Guerre de Cent Ans ainsi que la prise de Constantinople (l'ancienne Byzance, dernier vestige de l'immense empire romain) par les Turcs. A ce moment, les savants de cette ville sont partis se réfugier en Europe occidentale. Ils ont emporté avec eux des textes inconnus et des connaissances supérieures à celles de l'Europe médiévale. Cela a provoqué d'abord en Italie, puis dans toute l'Europe occidentale la Renaissance des sciences, de la philosophie et des lettres antiques.

LE DOMAINE ROYAL

EN 987

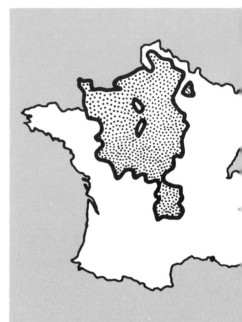

EN 1223

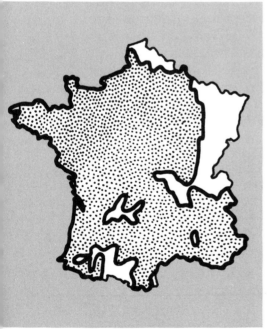

EN 1498

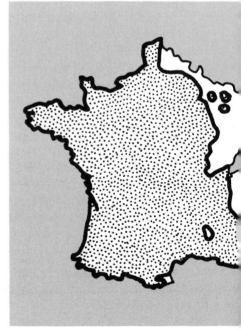

EN 1610

(b) A la fin du XVe siècle, les rois de France possédaient une grande partie du territoire français et ils ont envahi l'Italie pour étendre leurs possessions. Ils ont été éblouis par la richesse et le raffinement de la civilisation italienne, qui connaissait déjà un épanouissement prodigieux, et ils ont ramené en France les idées nouvelles de la Renaissance italienne.

3. **Les Idées.** Depuis des siècles, la religion chrétienne avait poussé les hommes à regarder la vie sur terre comme une période de misère et d'expiation en attendant la Vie Eternelle après la mort. La religion enseignait que le corps n'est pas important, que l'âme seule compte. A la Renaissance, les érudits ont étudié les textes grecs et latins qui donnaient beaucoup d'importance à la vie terrestre, à la nature, aux choses de ce monde. Ces humanistes—étudiants de la culture antique "humanitas"—ont repris goût à la vie; ils ont redonné plus d'importance à la vie terrestre, à la nature et à la raison humaine. Le principe d'autorité par lequel on acceptait les idées et théories des "Maîtres" et qui remplaçait souvent les études originales vers la fin du Moyen Age n'a plus été suffisant. On s'est tourné vers l'examen individuel, la libre pensée.

L'idéal des humanistes était basé sur le principe de "l'homme complet" qui demande le libre développement physique et intellectuel de l'individu, sans contraintes ni limites.

Du reste, la Renaissance est une période d'enthousiasme, d'espoir, de confiance immense dans l'avenir, dans la puissance de la raison humaine. Les découvertes scientifiques, techniques et géographiques de la deuxième moitié du XVe siècle montraient que l'homme est capable d'étendre continuellement ses connaissances par de nouvelles découvertes. L'invention de l'imprimerie par Gutenberg (vers 1450), qui a permis la rapide dissémination des idées nouvelles et qui a, par conséquent, beaucoup aidé la Renaissance, en est un exemple.

4. **Le Mécène de la Renaissance française.** Le grand roi de France, François Ier, qui a régné de 1515 à 1547 a vraiment aidé les artistes, les hommes de lettres et les savants. Il a fondé le Collège des Lecteurs Royaux (1530)—qui deviendra le Collège de France—pour l'enseignement du latin classique, du grec et de l'hébreu: victoire pour l'esprit de la Renaissance et pour l'esprit de la Réforme puisque les érudits voulaient lire les nouveaux livres dans la langue originale.

François Ier a aussi créé une cour brillante où venaient les nobles, au lieu de rester sur leurs terres. A l'extérieur, il a lutté contre

Charles Quint, empereur d'Allemagne et roi d'Espagne, qui a envahi plusieurs fois la France.

LA RÉFORME

L'esprit critique, libéré par la Renaissance, est à la base de la Réforme. Comme le hollandais Érasme (1467–1536)—qui a longtemps vécu en France—ou le français Guillaume Budé (1468–1540), les réformateurs dénoncent la corruption et l'autorité de l'Église. Ils veulent débarrasser la religion des pratiques et des croyances superstitieuses du Moyen Age. Ils désirent purifier la religion en remontant aux sources, c'est-à-dire à l'Évangile et aux pères de l'Église. C'est pourquoi la connaissance du grec et de l'hébreu était importante.

L'allemand Martin Luther (1483–1546) et le français Jean Calvin (1509–1564) ont réclamé des changements importants dans les dogmes de l'Église. Ils voulaient retourner aux pratiques des premières institutions chrétiennes et à l'Évangile. L'Église de Rome a refusé, alors, ils ont tous les deux établi des églises nouvelles en se séparant de Rome et leurs adhérents ont été appelés des protestants. La plupart des Français sont restés catholiques, mais il y a tout de même eu un certain nombre de français qui se sont convertis au protestantisme. C'est ainsi que les Guerres de Religion ont commencé en France entre catholiques et protestants.

Jean Calvin a ébranlé le pouvoir du Pape. Son livre, l'*Institution chrétienne*, marque une étape importante dans l'évolution de la langue française.

Henri IV, roi de France et de Navarre. Bon, juste et tolérant, il a été un grand monarque.

LES GUERRES DE RELIGION

La deuxième moitié du XVIe siècle est marquée par huit guerres civiles pendant lesquelles catholiques et protestants commettent des atrocités. L'autorité royale est affaiblie, le désordre et la confusion règnent partout. Le roi Henri III est assassiné en 1589 et l'héritier, Henri de Navarre, est protestant. Les catholiques lui résistent et ce n'est qu'après avoir renoncé au protestantisme, en 1594, ("Paris vaut bien une messe," aurait-il dit à ce moment-là) qu'il est accepté comme roi de France sous le nom de Henri IV. En 1598 il signe l'Édit de Nantes qui donne aux protestants certaines libertés, surtout celle de religion.

Henri IV a rétabli la paix dans le pays et l'autorité royale sur les provinces. Il a été un des meilleurs rois de France parce qu'il a redressé le pays dévasté par la guerre civile et qu'il s'est efforcé de donner un peu de bien-être au peuple de France. Il voulait que les paysans puissent "mettre chaque dimanche la poule au pot." Malheureusement, il est mort assassiné en 1610.

La Littérature

LA LANGUE FRANÇAISE

Les écrivains de l'époque ont décidé d'utiliser exclusivement le français (au lieu du latin) en littérature et d'essayer de rivaliser, en français, avec les grands auteurs grecs et latins pour rendre leur langue illustre. Du Bellay, grand poète de la Renaissance et ami de Ronsard, a écrit un manifeste à ce sujet: *Défense et illustration* (pour rendre illustre) *de la langue française.*

LES GRANDS ÉCRIVAINS

Le XVIe siècle a donné à la France trois grands écrivains:

1. François Rabelais (1494–1553) qui a été moine; médecin (diplômé de la grande université française de Montpellier); secrétaire d'un cardinal ambassadeur à la cour du pape à Rome; curé d'une église. Rabelais était bien l'enfant de la Renaissance: joyeux, aimant la vie, confiant dans les destinées humaines. C'était un de ces esprits universels que tous les problèmes de son siècle intéressaient comme la guerre, l'éducation, la justice, le mariage, les superstitions, la nature humaine et sur lesquels il avait des idées originales pour son époque. Il a caché ses idées—dont certaines étaient très osées pour un homme d'Église—sous d'énormes plaisanteries (parfois très grossières) dans ses livres qui racontent les aventures de deux géants, Gargantua et Pantagruel, et de leur ami Panurge.

2. Pierre de Ronsard (1524–1585) est un grand poète lyrique qui, dans ses odes et sonnets, a traité certains thèmes de l'antiquité tels que l'aspiration païenne à l'immortalité parmi les hommes; l'amour humain qui est d'autant plus précieux que le temps passe très vite: "Cueillez dès aujourd'hui les roses de la vie"; la belle nature; la mort. Ses vers ont une puissance et une harmonie jusqu'alors inconnues dans la poésie française.

François Rabelais. Une vie bien remplie, un savoir énorme.

Pierre de Ronsard. L'amour et la nature.

44

Michel de Montaigne.
Ses réflexions sur
l'homme sont encore
valables de nos jours.
(*Bulloz*)

3. Michel de Montaigne (1533–1592), humaniste par sa culture, son érudition et son culte de l'antiquité, n'a cependant ni l'enthousiasme, ni la joie de vivre, des hommes de la première partie du siècle, du fait qu'il vit au moment des Guerres de Religion. Il ne pense pas comme Rabelais que la nature sous toutes ses formes, humaines ou non, est bonne. Il s'applique à étudier l'homme en général et lui-même en particulier parce qu'il pense que "chaque homme porte la forme entière de l'humaine condition." Il se rend compte que la vie est un changement continuel: "Je ne peins pas l'être, mais le passage," écrit-il. Il cherche à pénétrer le sens de la vie, mais rien ne résiste à ses études et il devient sceptique: "Que sais-je?" dit-il finalement. Ses livres sont intitulés *Essais* et c'est lui qui a créé ce genre littéraire.

Les Arts

L'ARCHITECTURE

Revenus des guerres d'Italie, les seigneurs français ont décidé de rivaliser en magnificence avec les seigneurs italiens. Ils n'ont plus voulu de leurs châteaux sombres et froids. Ils se sont fait construire des demeures plaisantes aux décorations magnifiques et aux larges fenêtres—ornées de sculptures—qui laissent entrer l'air et le soleil. Les plus beaux exemples de châteaux Renaissance sont surtout dans la vallée de la Loire où le climat est très agréable: Chambord, construit par François Ier, est peut-être le plus somptueux au point de vue architectural; Chenonceaux est bâti sur une rivière, le Cher; Amboise, situé sur une falaise au bord de la Loire; l'aile François Ier du château de Blois; et le château de Fontainebleau, près de Paris. Ces constructions montrent que les Français n'ont pas imité simplement les palais italiens. Ils ont combiné avec bonheur la vieille inspiration gothique et féodale des châteaux forts avec l'art italo-

Le château de Chambord.

Le château de Chenonceaux.

Le château de Blois;
le grand escalier.

antique. La partie principale du Louvre à Paris, construite par Pierre
Lescot pour François Ier vers le milieu du XVIe siècle, est presque
classique et annonce l'architecture du XVIIe siècle. On retrouve aussi
les deux inspirations—gothique et italo-antique—dans les décorations
intérieures des châteaux, mais vers la fin du siècle, on y voit surtout
des compositions allégoriques et mythologiques.

François Ier, protecteur
des arts, a fait
remplacer le latin par
le français dans les
textes officiels. (*Alinari*)

LA PEINTURE

Les deux meilleurs peintres français du siècle sont des portraitistes : Jean Clouet et son fils François. On admire beaucoup le portrait de François Ier peint par Jean.

Les Sciences

L'ANATOMIE

L'esprit de libre examen, la soif de connaissance des humanistes, l'importance redonnée au corps humain, incitent certains médecins à faire des dissections sur des cadavres. Rabelais a écrit qu'il faut développer le corps aussi bien que l'esprit des gens pour qu'ils mènent une vie saine. Il était, en plus de ses autres activités, professeur d'anatomie et on sait qu'il a aussi fait lui-même des dissections.

LA MÉDECINE

Elle fait des progrès au XVIe siècle et Ambroise Paré (vers 1517–1590), "le père de la chirurgie moderne," y contribue, ayant eu l'idée de faire la ligature des artères après les amputations. Avant lui on brûlait les plaies pour arrêter l'hémorragie.

Questions

1. Qu'est-ce que la Renaissance?
2. Quels sont les différents événements qui ont préparé la Renaissance en Europe occidentale et en France?
3. Pourquoi l'année 1453 est-elle importante pour la Renaissance?
4. Quelles sont les idées des humanistes sur la vie en général?
5. Que pensent-ils de la raison humaine? Pourquoi?

LA LITTÉRATURE
1. Pourquoi et comment la langue française est-elle importante pour les écrivans de l'époque?
2. Quels sont les principaux auteurs du XVIe siècle?
3. Que savez-vous de Rabelais? Pourquoi peut-on le considérer comme un esprit universel?
4. Qui est Ronsard? Qu'est-ce qu'il a écrit? Quels sont ses thèmes?
5. Que savez-vous de Montaigne?

LES ARTS
1. Qu'est-ce que les seigneurs français ont décidé de faire en revenant d'Italie?
2. Les Français ont-ils simplement imité les Italiens? Qu'est-ce qu'ils ont fait?
3. Comparez un château fort et un château Renaissance.
4. Nommez deux peintres français de la période. Quel genre de tableaux ont-ils peint?

LES SCIENCES
1. Quelles sont les raisons pour lesquelles on commence à faire des dissections? Qui en a fait?
2. Comment appelle-t-on Ambroise Paré? Pourquoi l'appelle-t-on ainsi? Que faisait-on avant lui pour arrêter une hémorragie?

Sujets de Composition Française

1. Quelles sont les causes directes et indirectes de la Renaissance en France?
2. On dit que François Ier est le mécène de la Renaissance française. Expliquez comment et pourquoi.
3. On dit que les écrivains et artistes de la Renaissance française ont "imité" les oeuvres antiques et italo-antiques. Ont-ils simplement imité, ou bien ont-ils ajouté des éléments qui font de leurs oeuvres des chefs-d'oeuvre? Expliquez votre point de vue en vous basant sur des oeuvres précises.
4. Quelles sont les conséquences artistiques, économiques, intellectuelles et religieuses de la Renaissance en France?

IOS, QVI FORTIBVS ARMIS
SALVE IVRA DEI.

Chapitre 5

La Monarchie Absolue et le Classicisme au XVIIe siècle

L'Histoire

LOUIS XIII ET RICHELIEU

A la mort de Henri IV, son fils Louis XIII, qui a régné de 1610 à 1643, avait neuf ans. Sous la régence de sa mère Marie de Médicis, la France a été gouvernée par des ministres donnant des ordres au nom du roi. En 1624, quelques années après sa majorité, Louis XIII a pris un homme remarquable comme ministre, le cardinal de Richelieu (1585–1642). C'était un véritable homme d'État et le roi, qui le savait, lui a toujours laissé les mains libres. Richelieu a eu un triple but dans sa politique:

1. Détruire le pouvoir politique et militaire des protestants que leur donnait l'édit de Nantes, tout en leur laissant la liberté de religion.

2. Forcer les nobles à obéir au gouvernement du roi. Il est donc en grande partie responsable de l'absolutisme des descendants de Louis XIII.

3. Abaisser la puissante famille des Habsbourg qui était trop dangereuse pour la France. (Pour cela il a engagé une longue lutte contre le roi d'Espagne et contre l'empereur d'Autriche.)

Louis XIII par Philippe de Champaigne. Ce roi a eu l'intelligence de choisir un ministre fort et de savoir le garder. (*Hamelle*).

Richelieu par Philippe de Champaigne. Aimé de quelques-uns, détesté de beaucoup, le cardinal de Richelieu a travaillé continuellement pour fortifier l'autorité royale. (*Studiocolor*).

Il a réalisé les deux premières parties de ce programme, mais il est mort avant de terminer la lutte contre les Habsbourg.

LOUIS XIV ET MAZARIN

Le cardinal Mazarin (1602–1661) a succédé à Richelieu en 1643. Il a été ministre pendant l'enfance et la première jeunesse du fils de Louis XIII, Louis XIV, qui était mineur, comme son père, lorsqu'il a hérité du trône en 1643.

Mazarin a fini la lutte commencée par Richelieu contre les Habsbourg. L'empereur d'Autriche a signé le traité de Westphalie en 1648, terminant ainsi la Guerre de Trente Ans et donnant l'Alsace à la France. Le roi d'Espagne a signé le traité des Pyrénées en 1659 qui cédait l'Artois et le Roussillon à Louis XIV et par lequel ce dernier convenait d'épouser l'infante Marie-Thérèse. Cependant, à l'intérieur, le Parlement et les grands seigneurs se sont révoltés contre l'autorité de Mazarin. Cette lutte armée, dont le cardinal est sorti vainqueur, s'est appelée la Fronde.

LE RÈGNE PERSONNEL DE LOUIS XIV

A la mort de Mazarin, Louis XIV a pris le pouvoir et il l'a exercé lui-même jusqu'à sa propre mort en 1715. Au début de son règne personnel, la France tenait le premier rôle en Europe par sa puissance matérielle et par l'éclat de sa littérature. Le royaume était le plus peuplé, le plus riche et le plus puissant de toute l'Europe. Louis XIV a cependant recommencé la guerre contre l'Espagne et a obtenu des territoires à l'est, la Franche-Comté, et au nord, en Flandre.

Le Roi-Soleil, comme on l'appelle, parce qu'il a pris le soleil comme emblème, a adopté un cérémonial solennel à la cour qu'il a fait observer par tous les courtisans qui habitaient avec lui dans son château de Versailles.

A la fin de sa vie il a été poussé à soutenir des guerres qui ont affaibli la France, et à révoquer l'édit de Nantes en 1685. Les huguenots, comme on appelait les protestants français, se sont expatriés en grand nombre car ils ne pouvaient plus exercer leur culte et la France a ainsi perdu une partie importante de ses habitants les plus productifs. Il y a eu aussi une crise financière et économique qui a contribué à diminuer le prestige du régime. Cependant, du fait de ses qualités personnelles, de sa grande activité et grâce à l'énergie de ministres tels que Colbert et Louvois, certaines améliorations ont été apportées aux affaires du royaume: réorganisation de l'administration; établissement dans tout le pays de postes et messageries; fondation de nouvelles industries ou

Louis XIV, le Roi-Soleil, a créé un climat favorable à la littérature, aux arts et aux sciences. (*Fosse*).

Versailles est le palais le plus célèbre du monde et le chef-d'œuvre de l'art classique. Cette photo montre la façade du château du côté du parc.

amélioration d'anciennes (verreries, glaces, porcelaines, tapisseries, travail de métaux comme le fer-blanc) pour éviter les importations étrangères; fondation d'une marine marchande et de guerre; percement de nouveaux canaux comme le Canal du Midi. De plus le roi a créé un climat favorable à la littérature, aux arts et aux sciences.

La Littérature

LE SIÈCLE DE L'ANALYSE

La littérature est essentiellement une littérature d'analyse psychologique. Dès le Moyen Age, ce que l'on appelle "la vie en société" se développe en France. On se réunit par petits groupes, on discute de littérature, d'amour, et on fait des vers. Au début du XVIIᵉ siècle, les dames ont des salons—celui de Madame de Rambouillet est devenu célèbre. On y discute des idées de l'époque, on analyse des sentiments. Cependant on ne s'attache pas à l'individu, mais on recherche ce qu'il y a d'universel dans l'homme. Cette habitude de la discussion et de l'analyse est un trait de caractère typiquement français, renforcé par l'esprit de libre examen développé depuis la Renaissance.

La langue suit les idées: elle devient claire, précise, permettant d'exprimer les idées les plus subtiles et de définir tous les degrés des sentiments. Le poète François de Malherbe (1555–1628) a poussé les écrivains à simplifier leur langue et il a établi certaines règles à suivre en ce qui concerne la composition littéraire. L'Académie Française, issue d'un salon pour hommes seuls, est fondée par Richelieu en 1635. Son but est de composer un dictionnaire, une grammaire, une poétique.

Les membres de l'Académie se basent sur l'usage, c'est-à-dire sur la façon de parler de la bonne société, pour établir des règles de grammaire et de littérature. Jusqu'à nos jours, les académiciens se sont basés sur cet usage pour accepter des changements à la langue. Il y a actuellement quarante académiciens, élus à vie. On les appelle les "Immortels" parce que cette institution se renouvelle continuellement—quand un membre meurt, un autre est élu à sa place.

Parmi les auteurs les plus importants du siècle classique, il faut commencer par les auteurs dramatiques. C'est à cette époque que la tragédie classique atteint une grande perfection. En ce qui concerne la structure, la tragédie classique applique la règle des trois unités: l'action ne doit pas durer plus d'une journée (unité de temps); elle ne doit développer qu'une intrigue principale (unité d'action); et elle doit avoir lieu dans un seul endroit (unité de lieu). Cette règle permet de créer des situations simples, claires et logiques; elle concentre l'action et fait de la tragédie l'histoire d'une crise morale, le dénouement d'une situation dramatique qui existe depuis longtemps.

1. Le premier auteur dramatique en date est Pierre Corneille (1606–1684). C'est lui qui a créé la tragédie psychologique, où le progrès de l'action est déterminé par les sentiments des personnages. Le conflit entre la volonté et la passion amoureuse est développé dans *Le Cid*; entre la volonté et l'honneur ou le patriotisme dans *Horace*; entre la volonté et la foi religieuse dans *Polyeucte*. Ses héros tendent leur volonté pour ne rien faire qui soit contraire à leur honneur et ils ne se laissent jamais conduire par leurs émotions. Les vers de Corneille sont énergiques comme ses héros. Ils expriment souvent des idées d'un sens général qui sont passées dans la conversation; par exemple: "La valeur n'attend pas le nombre des années."

2. Corneille n'applique pas complètement la règle des trois unités car l'intrigue et les coups de théâtre lui sont nécessaires pour mettre en valeur le conflit moral de ses héros. Par contre, Jean Racine (1639–1699), le deuxième grand auteur dramatique du siècle, observe

Pierre Corneille, le premier grand auteur classique, dont le chef-d'œuvre est *Le Cid*.

Avec Jean Racine la tragédie est devenue psychologique. Il a écrit dans une très belle langue poétique.

Une représentation à Versailles. La scène a été construite en plein air, dans une allée du parc; le roi Louis XIV se trouve au centre.

les règles sans difficulté. Ses pièces sont d'une extrême simplicité. Il base la situation tragique de son théâtre sur la faiblesse de ses héros et héroïnes qui ne peuvent réagir contre leurs passions violentes et qui, par conséquent, agissent d'une façon déraisonnable. Ceci amène la catastrophe sans que l'auteur ait besoin d'introduire des événements extérieurs au drame psychologique. Cet amour-passion est ainsi bien différent de l'amour raisonné de Corneille et a permis à La Bruyère cette réflexion: "Racine peint les hommes tels qu'ils sont et Corneille tels qu'ils devraient être."

Racine est un poète d'un style pur, harmonieux et simple. C'est un psychologue qui connaît le cœur des femmes; en effet, la plupart de ses personnages principaux sont des femmes, comme l'indique le titre de ses meilleures œuvres: *Andromaque*, *Phèdre*, *Athalie*.

3. Jean-Baptiste Poquelin, dit Molière (1622–1673), est un grand auteur classique de comédies: comédies de mœurs, comme *Les Précieuses ridicules*, *Les Femmes savantes*, *Le Bourgeois gentilhomme*; comédies de caractère comme *L'Avare*, *Le Malade imaginaire*, *Tartuffe*, *Le Misanthrope*. Il amuse les spectateurs en exposant les faiblesses du genre humain. Cependant, Molière est un

réaliste qui connaît la vie et qui sait qu'elle n'est pas toujours gaie. Il incorpore donc des scènes tristes dans ses comédies et c'est dans ce mélange de situations tristes et gaies que réside le génie de cet auteur. Dans toutes ses grandes comédies, écrites en vers ou en prose, il est toujours vrai. Ses pièces sont encore jouées de nos jours, même en traduction à l'étranger, ce qui prouve l'universalité de ses thèmes et de ses situations.

LA POÉSIE

Il y a peu de poètes au XVIIe siècle car on aime trop l'ordre et la raison. Néanmoins, Jean de La Fontaine (1621–1695) peut être considéré comme un poète plein de fantaisie et d'humour malicieux. Ses fables sont écrites en vers. Elles mettent principalement en scène des animaux qui agissent comme des hommes. Comme dans *Le Roman de Renart* au Moyen Age, l'auteur se sert de ses fables et de leurs héros, les animaux, pour critiquer la société, les mœurs du temps et les hommes en général. La Fontaine est aussi un moraliste car s'il critique ou s'il se moque de ses semblables, c'est pour leur montrer leurs fautes et les encourager à devenir meilleurs.

La Fontaine s'est beaucoup inspiré des fables d'Ésope, fabuliste grec. Cependant, comme tous les grands écrivains français qui ont employé des situations ou des thèmes adaptés d'auteurs anciens ou

Jean de La Fontaine. Ses fables ont charmé les adultes avant d'apprendre aux petits Français combien leur langue peut être belle. (*Holzapfel*).

étrangers, il ne présente pas une simple copie des textes imités—il s'en inspire seulement et les adapte si bien, avec une telle originalité, que les œuvres finales ressemblent très peu aux textes originaux. Certaines des fables les plus connues sont *La Cigale et la fourmi; Le Chat, la belette et le petit lapin; Les Animaux malades de la Peste; Le Chêne et le Roseau.*

La Philosophie

Deux grands penseurs français du XVIIᵉ siècle sont à la fois des philosophes et des mathématiciens: Descartes et Pascal.

DESCARTES

Les sciences et la philosophie ont beaucoup changé depuis le Moyen Age quand on se contentait d'étudier les œuvres des auteurs des âges précédents sans discuter leurs idées et en acceptant leurs déductions. Au XVIᵉ siècle, l'esprit critique s'est développé et cela a amené René Descartes (1596–1650), au XVIIᵉ siècle, à vouloir se libérer de toute idée préconçue dans ses recherches. Dans son *Discours de la Méthode*, le "père de la philosophie moderne" a

De nombreux sujets ont intéressé René Descartes: mathématiques, physique, physiologie, psychologie, philosophie.

Première page du *Discours de la Méthode* de Descartes. "Le bon sens est la chose du monde la mieux partagée . . ."

Blaise Pascal, génie extra-ordinaire, célèbre comme écrivain, savant et théologien, a marqué profondément son époque.

affirmé qu'il faut chercher la vérité dans tous les domaines comme on la cherche dans les mathématiques, c'est-à-dire en se servant seulement de la raison.

PASCAL

Ayant moins confiance en la raison que Descartes, surtout pour les problèmes religieux, Blaise Pascal (1623–1662) pensait qu'il faut suivre ses sentiments car "le cœur a des raisons que la raison ignore." Dans ses *Pensées* (livre posthume) il analyse les rapports entre l'homme et l'univers ainsi qu'entre l'homme et Dieu. Dans les *Provinciales*, où il défend ses amis jansénistes contre les jésuites, il utilise l'éloquence et l'ironie pour soutenir sa cause. (Cette querelle met en cause l'idée de prédestination des jansénistes contre celle de libre arbitre des jésuites en ce qui concerne le destin de l'homme vis-à-vis de Dieu.)

Les Arts

L'ARCHITECTURE

Comme dans tous les autres domaines, la raison et l'ordre sont de première importance dans l'architecture classique. Les châteaux sont des édifices majestueux aux lignes pures et aux proportions parfaites.

Le cabinet du Conseil au château de Versailles.

Les différentes parties sont symmétriques et des colonnes verticales brisent la monotonie des lignes horizontales. Les toits sont plats, bordés de statues et de sculptures genre antique.

Les jardins et parcs comprennent des bassins aux jeux d'eau importants et des parties boisées. Ils sont aménagés de façon à former un ensemble harmonieux avec le château.

Le magnifique palais de Versailles, construit sur les ordres de Louis XIV, est dû à la collaboration de quatre artistes: les architectes Louis Le Vau et Jules Hardouin-Mansart, le décorateur Charles Le Brun et l'architecte des jardins André Le Nôtre.

LA PEINTURE

On peut diviser les grands artistes de ce siècle en trois groupes:

1. Parmi ceux qui s'intéressent à la nature, il y a Nicolas Poussin (1594–1665) qui trouve ses sujets dans l'antiquité. Ses tableaux, comme *Les Bergers d'Arcadie*, ont des qualités classiques par l'harmonie de la composition. Pour lui la nature est noble et tranquille.

Une des œuvres de Rigaud: Louis XIV âgé. (*Viguier*).

2. Les peintres qui peignent la vie aristocratique comprennent des portraitistes tels que Philippe de Champaigne (1602–1674) qui a peint un célèbre portrait de Richelieu et Hyacinthe Rigaud (1659–1743) dont le chef-d'œuvre est probablement son portrait de Louis XIV.

Les frères Le Nain se sont surtout intéressés à reproduire des scènes de la vie du peuple sur lequel ils nous ont laissé de précieux renseignements visuels. (*Bulloz*).

3. Le troisième groupe reproduit sur toile la vie du peuple comme les frères Le Nain dont un des meilleurs tableaux est *Repas villageois* de Louis Le Nain.

LA TAPISSERIE

La tapisserie jouit d'un renouveau important au XVIIe siècle. Colbert, un des ministres de Louis XIV, a établi des manufactures royales à Beauvais (1664), à Aubusson (1665) et à Paris où il a relevé la vieille manufacture des Gobelins (1667). Les chefs-d'œuvre de ces entreprises ornent de nombreux châteaux et musées de France et de l'étranger. Cette industrie est encore prospère de nos jours en France.

LA MUSIQUE

L'opéra italien est introduit en France par Mazarin qui fait venir une troupe de chanteurs de Rome en 1645. Suivant leur habitude, les Français, tout en s'inspirant des Italiens, créent un genre d'opéra adapté à leur caractère et à leurs goûts.

Le plus grand représentant de l'opéra français de l'époque est un compositeur né à Florence, mais français par son éducation : Jean-Baptiste Lully (1632–1687). Son style possède deux traits bien classiques : la clarté et l'ordre. Musicien de la cour de Louis XIV, il a composé la musique de presque tous les "divertissements" du roi. C'est lui aussi qui a composé la musique de ballet de plusieurs comédies de Molière, entre auters *Le Bourgeois gentilhomme*. *Psyché* est un de ses meilleurs opéras.

Les Sciences

1. Précurseur de Fulton qui est né en 1765, Denis Papin (1647–1714) a reconnu la force élastique de la vapeur d'eau et en 1707 il a construit un bateau à vapeur, mais son invention n'a pas été améliorée et elle a fini par être oubliée. Papin a aussi inventé la marmite à pression.

Denis Papin,
inventeur
malheureux du
bateau à vapeur.

2. En tant que mathématicien, René Descartes a posé les bases de la géométrie analytique, il a étudié les lois de la réfraction qui servent pour fabriquer les lentilles optiques et les télescopes. Par ses études sur les corps et sur les passions de l'homme, il a aidé au développement de la physiologie et de la psychologie.

3. Blaise Pascal était aussi un homme de science. A seize ans il a écrit un essai sur les sections coniques qui a étonné les savants de son temps. A dix-neuf ans il a inventé une machine à calculer qui sert encore de modèle et à vingt-trois ans il a fait des recherches sur la pesanteur de l'atmosphère qui ont permis l'invention du baromètre. C'est surtout en physique qu'il a été le plus original lorsqu'il a trouvé la loi (qui porte son nom) sur la pression des liquides.

4. Autour de Descartes et de Pascal, d'autres savants français ont collaboré à fonder l'Académie des Sciences (1666) et à recevoir à Paris les savants européens. On peut dire que la science moderne basée sur les recherches rationnelles et sur les expériences a vraiment débuté au XVIIᵉ siècle.

Questions

L'HISTOIRE
1. Comment s'appelait le fils de Henri IV? A-t-il gouverné seul?
2. Quelle est l'œuvre de Richelieu?
3. Qui a été ministre après lui? Comment s'appelait le roi de France à ce moment-là?
4. Qu'est-ce que la Fronde?
5. A la mort de Mazarin Louis XIV a-t-il laissé le pouvoir à un autre ministre? Qu'est-ce qu'il a fait?
6. Comment était la France au début du règne de Louis XIV? Y a-t-il eu des changements ensuite? Lesquels?
7. Quels événements ont contribué à diminuer le prestige du régime?
8. Quelles sont les différentes améliorations apportées aux affaires du royaume par le roi et ses ministres?

LA LITTÉRATURE ET LA PHILOSOPHIE
1. En quoi consiste la "vie en société"? Quel est le salon le plus célèbre au XVIIᵉ siècle? Qu'y faisait-on?
2. Qui est Malherbe? Qu'a-t-il fait d'important?
3. Que savez-vous de l'Académie Française et de ses membres?
4. Qu'est-ce que la règle des trois unités? Dans quel genre littéraire est-elle surtout employée?
5. Qui est Corneille? Qu'a-t-il créé? Comment sont ses héros? Quelles sont ses meilleures œuvres?

6. Qui applique la règle des trois unités sans gêne? Sur quoi base-t-il la situation tragique de ses pièces? Quelles sont ses œuvres principales?
7. Quelle comparaison a-t-on fait entre Racine et Corneille?
8. Dites ce que vous savez de Molière et de son œuvre.
9. Qui est Jean de La Fontaine? Qu'est-ce qu'il a écrit? Quels sont ses héros principaux?
10. De qui s'est-il surtout inspiré? Son imitation est-elle une simple copie? Pourquoi? Nommez plusieurs de ses fables.
11. Quelle est l'œuvre de Descartes en philosophie? Qu'est-ce qui l'a amené à formuler son principe de base?
12. Que veut dire "le cœur a des raisons que la raison ignore"?
13. En quoi consiste la querelle entre jansénistes et jésuites? Que fait Pascal pour soutenir sa cause dans cette querelle?

LES ARTS
1. Décrivez un château classique à l'extérieur et à l'intérieur.
2. Quel est le plus beau palais classique de France? Qui a collaboré à sa construction?
3. Quels sont les trois groupes de peintres du siècle?
4. Qui est Colbert? Qu'est-ce qu'il a fait d'important?
5. Nommez un compositeur d'opéra français du siècle classique. Comment est son style? Qu'a-t-il fait d'autre?

LES SCIENCES
1. Qui est Denis Papin? Qu'est-ce qu'il a découvert? Qu'a-t-il inventé?
2. Quelles sont les découvertes de Descartes en sciences? Qu'y a-t-il d'étonnant au sujet de Pascal? Quelles sont ses principales découvertes?
3. Qui a fondé l'Académie des Sciences?

Sujets de Composition Française

1. Deux traits caractéristiques du siècle classique sont l'ordre et la clarté. Montrez comment ces deux traits se retrouvent dans tous les domaines: en littérature et philosophie, dans les arts et les sciences.
2. Expliquez pourquoi René Descartes est considéré comme le "père de la philosophie moderne."
3. Qu'est-ce que l'Académie Française? Quels sont ses membres? Que font-ils? Pensez-vous qu'ils fassent œuvre utile?
4. Retracez l'histoire du théâtre en France depuis le Moyen Age jusqu'au XVIIe siècle.

DÉCLARATION
DES DROITS DE L'HOMME
ET DU CITOYEN,

Décretés par l'Assemblée Nationale dans les seances des 20,
21, 23, 24 et 26 août 1789, acceptés par le Roi.

PRÉAMBULE

Les représentans du peuple François, constitués
en assemblée nationale, considerant que l'ignorance,
l'oubli ou le mepris des droits de l'homme sont les seules
causes des malheurs publics et de la corruption des gouvernemens,
ont résolu d'exposer, dans une declaration solemnelle, les
droits naturels, inalienables et sacrés de l'homme, afin que
cette declaration, constamment présente a tous les membres du
corps social, leur rappelle sans cesse leurs droits et leurs
pouvoirs, afin que les actes du pouvoir legislatif et ceux du
pouvoir exécutif, pouvant être a chaque instant comparés
avec le but de toute institution politique, en soient plus
respectés ; afin que les reclamations des citoyens, fondées
desormais sur des principes simples et incontestables,
tournent toujours au mantien de la constitution et du bonheur
de tous.

En consequence, l'assemblée nationale reconnoît et declare,
en présence et sous les auspices de l'Être suprême, les droits
suivans de l'homme et du citoyen.

ARTICLE PREMIER.

Les hommes naissent et demeurent libres et egaux en droits,
les distinctions sociales ne peuvent être fondées que sur l'utilité
commune.

II.

Le but de toute association politique est la conservation des
droits naturels et imprescriptibles de l'homme : ces droits sont
la liberté, la propriété, la sureté, et la résistance à l'oppression.

III.

Le principe de toute souveraineté réside essentiellement dans
la nation, nul corps, nul individu ne peut exercer d'autorité
qui n'en émane expressément.

IV.

La liberté consiste à pouvoir faire tout ce qui ne nuit pas à
autrui. Ainsi, l'exercice des droits naturels de chaque homme,
n'a de bornes que celles qui assurent aux autres membres de la
société la jouissance de ces mêmes droits ; ces bornes ne peuvent
être déterminées que par la loi.

V.

La loi n'a le droit de défendre que les actions nuisibles à la
société. Tout ce qui n'est pas défendu par la loi ne peut être
empêché, et nul ne peut être contraint à faire ce qu'elle n'ordonne
pas.

VI.

La loi est l'expression de la volonté générale ; tous les citoyens
ont droit de concourir personnellement, ou par leurs représentans,
à sa formation. Elle doit être la même pour tous, soit qu'elle
protege, soit qu'elle punisse. Tous les citoyens étant égaux à ses
yeux, sont également admissibles à toutes dignités, places et
emplois publics, selon leur capacité, et sans autres distinctions
que celles de leurs vertus et de leurs talens.

VII.

Nul homme ne peut être accusé, arrêté
ni détenu que dans les cas determinés par la
loi et selon les formes qu'elle a prescrites. Ceux qui
sollicitent, expedient, executent ou font exécuter des
ordres arbitraires, doivent être punis ; mais tout citoyen
appelé ou saisi en vertu de la loi, doit obéir à l'instant, il se
rend coupable par la resistance.

VIII.

La loi ne doit etablir que des peines strictement et évidemment
nécessaires et nul ne peut être puni qu'en vertu d'une loi etablie
et promulguée antérieurement au délit, et légalement appliquée.

IX.

Tout homme etant presumé innocent jusqu'à ce qu'il ait été
déclaré coupable, s'il est jugé indispensable de l'arreter, toute
rigueur qui ne seroit pas necessaire pour s'assurer de sa personne
doit être severement reprimée par la loi.

X.

Nul ne doit être inquieté pour ses opinions, mêmes réligieuses
pourvu que leur manifestation ne trouble pas l'ordre public
etabli par la loi.

XI.

La libre communication des pensées et des opinions est un
des droits les plus précieux de l'homme ; tout citoyen peut donc
parler, écrire, imprimer librement ; sauf à répondre de l'abus
de cette liberté dans les cas determinés par la loi.

XII.

La garantie des droits de l'homme et du citoyen nécessite
une force publique ; cette force est donc instituée pour l'avantage
de tous, et non pour l'utilité particuliere de ceux à qui elle est
confiée.

XIII.

Pour l'entretien de la force publique, et pour les depenses
d'administration, une contribution commune est indispensable ;
elle doit être également répartie entre tous les citoyens, en
raison de leurs facultés.

XIV.

Les citoyens ont le droit de constater par eux-mêmes ou par
leurs représentans, la nécessité de la contribution publique, de
la consentir librement, d'en suivre l'emploi, et d'en determiner
la quotité, l'assiette, le recouvrement et la durée.

XV.

La société a le droit de demander compte à tout agent public
de son administration.

XVI.

Toute société, dans laquelle la garantie des droits n'est pas
assurée, ni la separation des pouvoirs determinée, n'a point de
constitution.

XVII.

Les propriétés etant un droit inviolable et sacré, nul ne peut
en être privé, si ce n'est lorsque la necessité publique, légalement
constatée, l'exige evidemment, et sous la condition d'une juste
et préalable indemnité.

AUX REPRÉSENTANS DU PEUPLE FRANÇOIS.

EXPLICATION DE L'ALLÉGORIE.

Chapitre 6

Les Philosophes et la Révolution au XVIIIe siècle

L'Histoire

LOUIS XV

A la mort de Louis XIV en 1715, son arrière-petit-fils et héritier, Louis XV, n'avait que cinq ans. Le royaume a d'abord été gouverné par un régent. Les précepteurs du jeune roi ne lui ont pas appris convenablement son "métier de roi." Après sa majorité il a laissé ses ministres—qui étaient souvent mauvais—et ses maîtresses (Madame de Pompadour est la plus célèbre) gouverner le pays: le résultat a été désastreux!

Vers le milieu du siècle, la France a perdu ses territoires aux Indes et au Canada parce que le roi et son entourage (et même Voltaire) n'ont pas compris l'importance économique de ces pays si lointains. Cependant la Corse et la Lorraine ont été rattachées à la France par des moyens pacifiques.

A l'intérieur il y a eu un conflit continuel entre les gens qui voulaient préserver l'autorité absolue du gouvernement et de l'Église et ceux qui demandaient plus de libertés. On critiquait beaucoup le système des impôts car les plus riches, les nobles et les institutions religieuses, n'en payaient pas, tandis que le reste de la population

La Déclaration des droits de l'homme et du citoyen. Proclamation du 27 août 1789 par laquelle tous les Français sont reconnus libres et égaux devant la loi.

Louis XV, appelé le Bien-Aimé, n'a pas gardé longtemps ce surnom. On le considère comme l'un des rois les plus mauvais de l'histoire de France. (*Holzapfel*).

Louis XVI était un brave homme de caractère trop faible pour gouverner pendant une période aussi difficile que celle de son règne.

68

Journée de colère populaire, le 14 juillet 1789 marque le début de la Révolution.

devait fournir à tous les besoins du gouvernement et payer les extravagances du roi et de la cour.

LOUIS XVI ET LA RÉVOLUTION

Louis XVI a succédé à son grand-père en 1774. C'était un brave homme, mais de caractère faible et indécis, alors que la France avait besoin d'un roi énergique et prêt à faire le nécessaire pour éviter la révolution que les idées et opinions du temps préparaient. En effet, on demandait une monarchie constitutionnelle (comme en Angleterre), une répartition équitable des impôts et plus de libertés: liberté de pensée, de la presse, liberté religieuse et politique, etc.

En mai 1789, après une crise financière aiguë, le roi a convoqué, à Versailles, les États généraux composés de représentants de la noblesse, du clergé et du tiers état (représentant la bourgeoisie), pour essayer de mettre de l'ordre dans les affaires de l'État et pour changer certaines institutions qui dataient du Moyen Age. La noblesse et le clergé se sont opposés à tous changements. Le tiers état, sous la direction de Mirabeau, voulait établir une constitution. Le roi a réuni ses troupes et on a cru à Paris qu'il voulait dissoudre l'assemblée; alors le peuple s'est soulevé. La prise de la Bastille, le 14 juillet 1789, a marqué le début de la Révolution qui s'est répandue dans toutes les provinces où les paysans se sont révoltés contre leurs seigneurs. Les nobles, effrayés, ont émigré à l'étranger. L'Assemblée Nationale (qui avait succédé aux États généraux) a voté l'abolition des droits seigneuriaux le 4 août 1789 et, le 26 août, elle a rédigé la *Déclaration des droits de l'homme et du citoyen,* fondée sur le principe de liberté et d'égalité.

Cependant, poussées par les nobles émigrés, la Prusse et l'Autriche ont déclaré la guerre à la France. (La reine Marie-Antoinette était princesse autrichienne.) Ils ont envahi le territoire mais ils ont été arrêtés par les armées révolutionnaires à Valmy en septembre 1792.

LA PREMIÈRE RÉPUBLIQUE

Ensuite, l'Assemblée a voté la République en 1792 et l'exécution du roi en 1793, sous le prétexte qu'il avait conspiré avec l'ennemi. Puis Robespierre a écarté les modérés de l'Assemblée et un régime de terreur a commencé: arrestations en masse, exécutions capitales sans jugement valide.

Après l'exécution de Louis XVI, la guerre a recommencé, déclarée par presque tous les états d'Europe. Un des jeunes généraux envoyé en Italie contre les Autrichiens qui possédaient le Nord de ce pays, était Bonaparte, originaire de Corse. Il a remporté de brillantes victoires: Lodi, Arcole, Rivoli, etc.

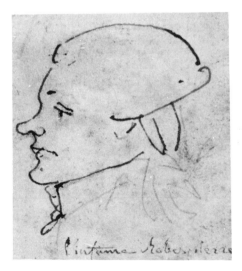

Maximilien de Robespierre, appelé "l'incorruptible", puis "l'infâme". Son intransigeance l'a conduit aux excès de la Terreur.

Napoléon Bonaparte lorsqu'il n'était qu'un jeune général plein d'ambition.

En 1794, l'Assemblée (appelée maintenant la Convention) a envoyé Robespierre à la guillotine, ce qui a arrêté la Terreur, mais le gouvernement est devenu de plus en plus mauvais. En 1799, Bonaparte, très populaire par ses victoires, a pris le pouvoir par un coup d'État et a établi un gouvernement autoritaire.

La Littérature

Au XVIIIᵉ siècle les auteurs continuent à observer les règles de la littérature classique mais leurs œuvres sont très différentes de celles des auteurs du XVIIᵉ siècle. Les fautes de plus en plus graves de la monarchie, l'inéquité sociale, le manque de libertés, provoquent une révolte générale contre le principe d'autorité. Les écrivains, appelés "philosophes," sont les chefs de cette révolte qui va entraîner la destruction des institutions politiques et religieuses.

LES PHILOSOPHES

Ce titre, donné aux auteurs de cette période, a un sens spécial. En général, un philosophe réfléchit aux problèmes métaphysiques et cherche à les résoudre en un système universel. Les philosophes français du XVIIIᵉ siècle ne s'intéressent pas à la métaphysique pure—en réalité ils la considèrent mauvaise et inutile. Ils cherchent seulement à résoudre les problèmes d'ordre social, politique, moral ou religieux dont dépend le bonheur de l'homme sur terre.

1. Montesquieu (1689–1755) montre son esprit satirique dans les *Lettres persanes* où il se moque de tout, même du roi et du pape. Il critique toutes croyances et aide à la chute du régime. Son *Esprit des lois* analyse les différents systèmes politiques. Il y recommande le libéralisme et la tolérance. Il y développe aussi une nouvelle théorie, celle de la séparation des pouvoirs exécutif, législatif et judiciaire, ce qui permet d'éviter le despotisme et de maintenir un équilibre nécessaire au bien-être de tous. Sa théorie est à la base de la Constitution des États-Unis et des différentes constitutions qui ont établi un gouvernement républicain en France.

2. François Marie Arouet, dit Voltaire (1694–1778), est un grand écrivain qui s'est distingué dans tous les genres littéraires: il a été

Voltaire, aussi bon dans le roman que mauvais au théâtre, a été l'écrivain le plus célèbre de son temps.

Montesquieu est surtout célèbre pour son livre l'*Esprit des lois* qui a influencé en partie les réformes de l'Assemblée Constituante de 1789.

poète, dramaturge, historien, philosophe, romancier. Il a exercé une influence énorme sur l'opinion publique par ses attaques contre les abus de la monarchie absolue et contre les religions qui, à son avis, entretiennent l'ignorance et le fanatisme. Doué d'une haute intelligence et d'un esprit fin et mordant, il s'est servi de la raison et du ridicule pour attaquer ce qu'il détestait : la superstition, le fanatisme, l'intolérance, l'arbitraire. Il a fait preuve d'un amour profond pour l'humanité et il a vraiment cru au progrès de la civilisation. Mais il n'a pas toujours été impartial et il a eu tendance à détruire les institutions existantes sans leur trouver de remplacement efficace.

Ses meilleures œuvres sont des romans comme *Zadig* et *Candide* ; ses *Lettres philosophiques* ; et ses ouvrages historiques comme le *Siècle de Louis XIV*.

3. Jean-Jacques Rousseau (1712–1778), suisse de naissance et français de cœur, a basé sa philosophie sur un paradoxe : l'homme est naturellement bon, c'est la société qui le rend mauvais. Il a été combattu de son temps, même par les autres philosophes, car ses critiques sociales étaient encore plus osées que les leurs et ses théories beaucoup trop avancées pour son époque. Montesquieu et Voltaire se contentaient de chercher à améliorer l'ordre existant tandis que Rousseau demandait un changement complet.

Il a cependant exercé une influence considérable dans plusieurs domaines :

(a) En économie politique : avec son *Discours sur l'origine de l'inégalité*, dans lequel il s'élève contre la propriété privée. A son avis,

Jean-Jacques Rousseau a eu une vie aventureuse et une grande influence sur le mouvement romantique.

l'inégalité politique et l'injustice sociale dépendent du principe de propriété sur lequel sont fondées les sociétés modernes. Avec son *Contrat social*, dans lequel il s'oppose à tout gouvernement autoritaire et proclame la souveraineté du peuple, seul maître de ses destinées. D'après ses théories, afin de pouvoir vivre en société, chaque individu doit faire un pacte avec les autres au profit de la communauté. Les droits sont les mêmes pour tous, mais la collectivité décide par majorité des devoirs à imposer à chaque personne.

Ces deux œuvres ont beaucoup influencé la pensée révolutionnaire et républicaine. Ses théories sur la propriété ont été reprises par les socialistes et les communistes. Ses principes sont à la base de la *Déclaration des droits de l'homme*. De plus, en 1789 l'Assemblée Constituante a proclamé la souveraineté du peuple.

(b) En éducation: avec son *Émile* dans lequel il présente tout un système d'éducation dont le but est de préserver la liberté naturelle de l'enfant. Il ne faut pas l'influencer ni lui imposer d'idées préconçues. Il faut simplement le guider pour qu'il puisse apprendre à juger par lui-même et à former ses propres opinions. On doit également former son caractère, développer son corps et ses sens. L'éducation progressive moderne est basée sur les mêmes principes.

(c) En littérature: avec son roman *La Nouvelle Héloïse* où il exalte les sentiments et l'imagination et où il montre que la nature a un effet bienfaisant sur les hommes. Rousseau s'oppose donc à la raison et à l'ordre classiques; il replace l'homme au milieu de la nature que ceux-ci avaient ignorée: de ce fait il est un des principaux precurseurs de l'école romantique.

L'ENCYCLOPÉDIE

La grande entreprise littéraire du siècle, l'*Encyclopédie* a pour chefs Denis Diderot (1713–1784) et Jean d'Alembert (1717–1783). Elle commence par être la traduction d'une encyclopédie en anglais, publiée à Londres en 1727, mais bientôt les chefs veulent écrire une

La grande œuvre de Denis Diderot a été l'*Encyclopédie*.

œuvre originale. Ils décident que l'*Encyclopédie* ne fournira pas simplement une liste des connaissances humaines, mais qu'elle servira aussi d'œuvre de propagande contre le gouvernement et la société établie, en appliquant le raisonnement et le libre examen à tous les sujets étudiés.

Cet ouvrage contient une vingtaine de volumes qui ont paru entre 1751 et 1772. Il a été violemment attaqué par les segments de la population qui profitaient de l'ordre établi, et spécialement par les Jésuites et la Faculté de Théologie de la Sorbonne qui lui reprochaient ses tendances matérialistes et déistes—sinon athées.

LE THÉÂTRE

La tragédie et la comédie continuent à être très appréciées par le public. La valeur des tragédies décline cependant, tandis que la comédie donne des chefs-d'œuvre:

1. Marivaux (1688–1763) a écrit des pièces spirituelles où il analyse l'amour, non pas l'amour-passion de Racine, mais un amour qui semble moins profond, bien que réel. Ses amoureux ne se trouvent pas en présence d'obstacles insurmontables, mais seulement de difficultés passagères; le dénouement de ces pièces est toujours heureux et connu d'avance. Les personnages évoluent dans un cadre de fantaisie qui fait penser aux paysages idéalisés du peintre Antoine Watteau. L'originalité de Marivaux est de s'être libéré de la tradition de Molière car il n'utilise que rarement les procédés de la farce. Ses personnages sont pleins de grâce et de fraîcheur. Son chef-d'œuvre est *Le Jeu de l'amour et du hasard*.

2. Beaumarchais (1732–1799) a écrit deux chefs-d'œuvre: *Le Barbier de Séville* et *Le Mariage de Figaro*. La première comédie, traduite en italien, a servi de livret pour l'opéra de Rossini et Mozart s'est inspiré de la seconde pour son opéra *Les Noces de Figaro*. Ces comédies sont des critiques de la société et parfois la satire est très violente. En effet, le héros est tout à fait de son époque: homme du peuple, intelligent, plein d'ambition, il se rebelle contre l'oppression et les privilèges. Dans le *Mariage*, les valets Figaro et Suzanne finissent par être maîtres de la situation, ce qui annonce déjà (1778) la victoire du tiers-état à la Révolution. Malgré la satire, les comédies de Beaumarchais sont pleines d'esprit, de verve, de gaieté et de mouvement.

Watteau est un des plus grands peintres français. On voit ici un de ses nombreux *Divertissement champêtre*. *(Bulloz)*.

Les Arts

LA PEINTURE

1. Antoine Watteau (1684–1721) est le plus grand artiste de ce siècle. Ses nombreuses *Fête champêtre*, et surtout son *Embarquement pour Cythère*, île fabuleuse de l'amour, présentent des jeunes gens aux costumes élégants, cherchant le plaisir et l'amour au milieu de paysages de rêve.

2. François Boucher (1703–1770) et Jean Honoré Fragonard (1732–1806) idéalisent aussi la vie aristocratique. Eux aussi repré-

Cupidon blessant Psyché, de François Boucher. (*The William Randolph Hearst collection*).

Fragonard a peint beaucoup d'œuvres légères en accord avec l'esprit de la cour. Ce tableau s'appelle *La Lecture*. (*Bulloz*).

77

L'antiquité romaine a fourni beaucoup de sujets à Louis David.
Révolutionnaire actif, il est devenu un ardent partisan de Bonaparte et le
peintre officiel de l'empire. (*Alinari*).

sentent un monde charmant, gracieux et frivole qui a disparu depuis
la Révolution. *Les Baigneuses* de Boucher et *Le Chiffre d'Amour* de
Fragonard sont parmi leurs meilleures œuvres.

3. Jean-Baptiste Greuze (1725–1805) a représenté des scènes de la
vie populaire d'une façon un peu trop sentimentale qui ne plaît plus
aujourd'hui comme dans *La Cruche cassée* et *L'Accordée de village*.

4. D'autre part, la fin du siècle voit une renaissance classique, un
retour à l'antique, dont Louis David (1748–1825) est le représentant
le plus brillant en peinture. Ses compositions ont une ordonnance,
une pureté de formes et une simplicité toute classique; les plus
connues sont *Le Serment du Jeu de Paume, Marat assassiné, Le
Serment des Horaces* et *Madame Récamier*.

Houdon a sculpté de grands personnages tels que Louis XVI, Catherine II
de Russie, Washington, Franklin et Voltaire.

LA SCULPTURE

Il faut aussi noter un sculpteur de marque, Jean-Antoine Houdon
(1741–1828), qui a laissé des œuvres pleines de naturel et de vérité;
ce sont surtout des bustes d'hommes célèbres, comme ceux de
Voltaire et de Diderot.

Les Couperin ont tous été musiciens et le
meilleur, François, est le grand maître
français du clavecin.

Le plus grand des musiciens classiques
français avec Couperin, Jean-Philippe
Rameau a écrit un important *Traité de
l'Harmonie.*

LA MUSIQUE

Les compositeurs français les meilleurs sont François Couperin
(1668–1733), qui était organiste et compositeur de morceaux pour
clavecin, et Jean-Philippe Rameau (1683–1764) qui a établi les bases
de l'harmonie moderne et qui a introduit la musique symphonique
dans l'opéra. Ses principales œuvres sont des opéras comme
Hippolyte et Aricie et *Castor et Pollux.*

Les Sciences

Les sciences continuent à faire de grands progrès et les savants
français y contribuent.

1. Par son œuvre monumentale *L'Histoire naturelle,* où il a traité
de la zoologie, et par ses *Époques de la Nature,* où il a étudié les
époques géologiques, Georges Leclerc de Buffon (1707–1788) a
attiré l'attention du public sur les progrès rapides de la science. A
partir de 1739 il a été intendant du Jardin des Plantes à Paris, le

Grand savant et très bon écrivain, Georges Louis Leclerc, comte de Buffon a rendu les sciences naturelles accessibles à tous.

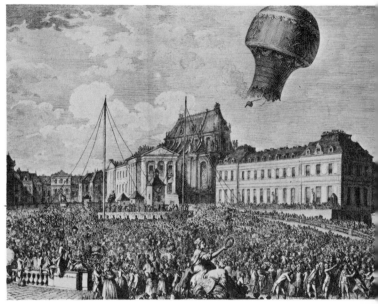

Pendant cette expérience des frères Montgolfier à Versailles, un mouton, un coq et un canard, qui étaient à l'intérieur de la cage sous le ballon, ont parcouru plus de trois kilomètres sans ressentir "la plus légère incommodité!"

premier jardin zoologique qui ait jamais existé, et il en a fait un musée scientifique qui est devenu le Muséum National d'Histoire Naturelle où travaillent encore de grands savants.

2. Antoine Lavoisier (1743–1794) a trouvé la composition de l'air; il a découvert l'oxygène et la loi de la combustion des corps. C'est lui qui a fondé la chimie moderne. Il a aussi fait des découvertes en physique, telles que les propriétés des corps à l'état gazeux. Il a fait partie de la commission chargée d'établir le système métrique qui a remplacé les anciennes mesures pendant la Révolution. Malheureusement, il a été guillotiné parce qu'il était fermier général.

3. Les frères Montgolfier, Joseph (1740–1810) et Etienne (1745–1799) ont eu l'idée, en 1783, de monter en l'air en se servant d'un ballon empli d'air chaud, auquel était attachée une nacelle. En 1795 deux personnes ont traversé la Manche en ballon. C'est la première étape de l'industrie aéronautique qui a fait des progrès immenses en deux siècles.

Questions

1. Comment la France a-t-elle été gouvernée par Louis XV?
2. Quels territoires la France a-t-elle perdus sous Louis XV? Pourquoi? Quels territoires a-t-elle obtenus? Par quels moyens?
3. Quel conflit y a-t-il eu en France? Qu'est-ce qu'on critiquait? Pourquoi?
4. Qui a succédé à Louis XV? Quel caractère avait-il?
5. Qu'est-ce que les opinions du temps préparaient? Que voulait-on en France au point de vue gouvernemental et civique?
6. Qu'est-ce que le roi a convoqué en 1789? Pourquoi? Comment cette assemblée était-elle divisée?
7. Qui s'est opposé à tout changement? Que voulait le tiers état? Quand le peuple s'est-il soulevé?
8. Que marque la prise de la Bastille? Que s'est-il passé en province?
9. Qu'est-ce qui a été voté la nuit du 4 août 1789? Et le 26 août?
10. Qu'est-ce que la Prusse et l'Autriche ont fait? Ont-elles gagné la guerre?
11. Quand la République a-t-elle été votée?
12. Racontez ce qui s'est passé pendant la Première République. Comment a-t-elle été terminée?

LA LITTÉRATURE
1. En quoi les œuvres littéraires du XVIIIe siècle diffèrent-elles de celles du XVIIe siècle?
2. En général, à quoi pensent les philosophes? Est-ce que les philosophes français du XVIIIe siècle s'intéressent à la métaphysique? Que cherchent-ils à faire?
3. Que fait Montesquieu dans les *Lettres Persanes?* Comment le fait-il?
4. Quelles sont les idées de Montesquieu sur le gouvernement? Quelle nouvelle théorie a-t-il formulée? En quoi est-elle importante?
5. Quel est le nom véritable de Voltaire? Cet auteur a-t-il été influent? Comment?
6. Qu'est-ce qu'il a eu tendance à faire? Pensez-vous que c'est un bien ou un mal?
7. Nommez les principales œuvres de Voltaire et dites à quel genre littéraire elles appartiennent.
8. Quelle est la théorie principale de Rousseau? Etes-vous d'accord avec lui? Pourquoi?
9. Quelles sont ses idées en économie politique? Dans quels écrits les a-t-il exposées? Sont-elles importantes? De quelle façon?
10. Quelles sont ses théories en éducation? Dans quel écrit en a-t-il parlé?
11. Quelles sont ses contributions en littérature? Quels auteurs lui doivent beaucoup?
12. Qu'est-ce que *l'Encyclopédie?* Qui en sont les chefs? Qui a attaqué cet ouvrage? Pourquoi?

13. Nommez deux auteurs de comédies du XVIIIe siècle.
14. Quelle est l'originalité de Marivaux? Quel est son chef-d'œuvre?
15. Nommez les deux chefs-d'œuvre de Beaumarchais. Décrivez son héros. Quelles sont les caractéristiques de ses comédies?

LES ARTS
1. Qui est le plus grand artiste du siècle? Comment sont ses peintures? Quels tableaux a-t-il peints?
2. Qu'est-ce que Boucher et Fragonard ont représenté?
3. Quelles scènes Greuze a-t-il peintes? De quelle façon les a-t-il peintes?
4. Qu'est-ce que la renaissance classique en peinture? Qui en est le principal représentant? Nommez plusieurs de ses œuvres.
5. Nommez un sculpteur important. Quelles sont ses œuvres?
6. Parlez des deux principaux musiciens de l'époque en France.

LES SCIENCES
1. Que savez-vous de Buffon?
2. Qu'est-ce que Lavoisier a fondé? Pourquoi?
3. Que savez-vous du système métrique?
4. Pour quelle raison les frères Montgolfier sont-ils importants?

Sujets de Composition Française

1. Comparez la Guerre de l'Indépendance américaine et la Révolution française. Quelles sont les ressemblances et les différences?
2. Les idées philosophiques françaises ont-elles influencé les Pères de l'Indépendance américaine? Déterminez de quelle façon. D'autre part, croyez-vous que l'Indépendance américaine ait eu une influence sur la Révolution française? Prouvez votre point de vue.
3. Quelles sont les idées de Rabelais et de Rousseau sur l'éducation? En quoi leurs idées ressemblent-elles à celles de John Dewey, le père de l'éducation progressive aux États-Unis?
4. Retracez l'histoire des possessions françaises en Amérique du Nord depuis leur découverte jusqu'à leur perte.

Napoléon 1ᵉʳ dans
son cabinet de
travail, tableau de
David.

La Première Moitié du XIXe siècle

L'Histoire

NAPOLÉON BONAPARTE

Au point de vue politique, littéraire, artistique et scientifique, le XIXe siècle est une période de changements continuels qui ouvrent des horizons nouveaux à la pensée humaine.

En 1799, Bonaparte a pris le pouvoir. Son premier gouvernement a été un consulat où il a eu le pouvoir exécutif sous le nom de Premier Consul. En 1801 il a signé un Concordat avec le pape pour restaurer la religion catholique qui était abolie en France depuis le début de la Révolution.

En 1804 Bonaparte est devenu empereur, couronné par le pape Pie VII à Notre-Dame de Paris sous le nom de Napoléon Ier. Il a rétabli la cour et a créé une nouvelle noblesse choisie parmi les officiers de l'armée et la bourgeoisie.

Plusieurs coalitions se sont succédées contre Napoléon Bonaparte. Il a d'abord remporté de brillantes victoires—Austerlitz, Iéna, Eylau, Wagram, etc.—mais, après la retraite de Russie (1812) où il a perdu une grande partie de son armée, il a subi une grande défaite à Leipzig en 1813 et il a été obligé d'abdiquer en 1814.

Exilé à l'île d'Elbe, il est revenu en 1815 pour une période d'environ cent jours, mais il a été définitivement vaincu à Waterloo (1815). Les vainqueurs—anglais, autrichiens et russes—l'ont exilé de nouveau, cette fois à Sainte-Hélène, plus éloignée de la France

Le tombeau de
Napoléon aux Invalides
attire toujours de
nombreux visiteurs.

que l'île d'Elbe. Il y est mort en 1821 mais ses cendres ont été rapportées à Paris en 1840 et elles reposent aux Invalides.

Napoléon a été le plus grand chef militaire du monde moderne. Il était doué de facultés très variées et surtout d'une grande mémoire et d'une puissance de travail énorme. On lui a reproché, avec raison, son ambition, son despotisme et ses guerres sans fin, mais il faut admettre qu'il a été un très bon administrateur et qu'il a établi des institutions durables.

1. C'est à lui qu'on doit le système administratif actuel de la France. Au lieu des anciennes provinces, il a mis à exécution le projet de la Convention qui avait voté la division en départements et il a organisé leur administration.

2. Il a établi le code de lois Napoléon, inspiré du code Justinien (code romain) qui est encore employé en France, en Belgique, en Espagne, au Mexique, en Argentine, en Louisiane et dans de nombreux pays d'influence française comme les anciennes colonies.

3. Il a institué un nouveau système financier et fondé la Banque de France.

4. Napoléon a aussi créé un système d'enseignement public et laïc, ainsi que l'Université de France, dirigés par le gouvernement, alors qu'avant la Révolution les écoles et universités dépendaient toutes de l'Église.

5. C'est également lui qui a fondé l'ordre national de la Légion d'Honneur.

6. D'autre part on lui doit un magnifique réseau routier qui existe encore dans certaines parties de la France.

LA RESTAURATION

Deux frères de Louis XVI ont régné en France après Napoléon, Louis XVIII de 1814 à 1824 et Charles X de 1824 à 1830.

1. Louis XVIII était intelligent, spirituel, doué d'un sens très aigu des réalités. Comprenant qu'il ne pouvait rétablir l'absolutisme de l'Ancien Régime, il a accordé une charte qui fondait une monarchie constitutionnelle. Cette charte reconnaissait les principes démocratiques de 1789, conservait les innovations de Napoléon, et établissait deux assemblées: la Chambre des Pairs qui était héréditaire, et la Chambre des Députés, dont les membres étaient élus par les habitants payant au moins trois cents francs d'impôt direct. Ces électeurs n'étaient pas très nombreux car cette somme était très élevée pour l'époque, mais c'est le premier pas vers le suffrage universel.

2. Charles X, hostile au libéralisme, voulant gouverner en roi absolu, s'est rendu très impopulaire. En 1830 il a signé les Ordonnances de Juillet; celles-ci suspendaient la liberté de la presse, prononçaient la dissolution de la Chambre des Députés, et réduisaient le nombre des députés et des électeurs. Les Parisiens se sont aussitôt révoltés et au bout de trois journées révolutionnaires appelées "les trois glorieuses," ils se sont rendus maîtres de la capitale. Alors le roi a été obligé d'abdiquer.

Voici Louis XVIII entouré de sa famille, d'après un dessin de l'époque: à la droite du roi, son frère, le futur Charles X. (*Giraudon*).

En 1830 le peuple
de Paris s'est battu
avec courage sur
les barricades.
(*Holzapfel*).

Lithographie
satirique de
Grandville sur la
politique pacifiste
du roi Louis-
Philippe.

3. Le successeur de Charles X, Louis-Philippe, roi des Français de 1830 à 1848, appartenait à la branche d'Orléans. Appelé et maintenu au pouvoir par la bourgeoisie, il a suivi une politique de juste milieu, mais il a été constamment en but à des complots organisés par plusieurs partis : les républicains influencés par le socialisme naissant, les bonapartistes, les légitimistes partisans de la branche aînée des Bourbons. Sa politique étrangère a aussi mécontenté le pays car il a cherché à éviter la guerre à tout prix et il a été obligé de céder à toutes les exigences de l'Angleterre. Enfin, le républicanisme ayant fait de grands progrès, la révolution a éclaté de nouveau le 24 février 1848 et Louis-Philippe a abdiqué comme son prédécesseur.

La Littérature

LES IDÉES POLITIQUES ET SOCIALES

Pendant le XIXᵉ siècle des écrivains catholiques et royalistes luttent pour rétablir la royauté et l'Église. Mais les idées libérales se précisent. Devant les troubles politiques grandissants, les intellectuels réagissent et cherchent le régime politique idéal. Ils reprennent la lutte contre l'ordre économique et social : c'est ainsi que naissent les mouvements socialiste et communiste dont les précurseurs, en France, sont le comte de Saint-Simon (1760–1825,) Charles Fourier (1772–1837) et Pierre Proudhon (1809–1865).

Poètes et écrivains s'intéressent toujours aux questions sociales, politiques et morales : les romantiques décrètent qu'ils ont une mission à remplir ; réalistes et naturalistes continuent la lutte pour la liberté et la justice qui devraient donner le bonheur à l'humanité.

Charles Fourier, philosophe et sociologue, visionnaire et réformateur, rêvait d'harmonie universelle. Il a été très populaire vers 1840.

Les Français qui ont vécu après la Révolution et au début du XIXᵉ siècle se sont trouvés désemparés devant un monde bouleversé par les révolutions, les guerres, les troubles politiques et sociaux. De ce fait les écrivains ont d'abord montré une profonde inclination à la mélancolie et au désenchantement. Ces sentiments sont devenus de plus en plus forts pendant le XIXᵉ siècle et ils ont fini par donner naissance à l'angoisse et au désespoir de la littérature contemporaine.

CHATEAUBRIAND

Un des précurseurs romantiques en France, François René de Chateaubriand (1768–1848), est un grand admirateur de Rousseau; tous deux ont écrit en prose, mais leur style a de grandes qualités poétiques. De plus Chateaubriand a une imagination débordante, une puissance descriptive incomparable et une grande sensibilité. Il a influencé sa postérité de différentes façons:

1. Il a réveillé le sentiment religieux en France avec son *Génie du Christianisme* où il a exalté la religion chrétienne.

2. Par son récit *Les Martyrs*, Chateaubriand a redonné aux Français le goût du passé: il a donc contribué au renouveau des études historiques, si importantes au XIXᵉ siècle.

Une page de la première édition imprimée du *Génie du Christianisme* de Chateaubriand.

3. Il a renouvelé le sentiment de la nature par ses descriptions de pays exotiques: les forêts d'Amérique—où il a fait un court séjour—dans *Atala*; les paysages du Proche-Orient dans son *Itinéraire de Paris à Jérusalem*.

4. Les romantiques lui doivent beaucoup car il a ouvert le chemin à la grande poésie lyrique en exprimant ses émotions et ses états d'âme dans *René* et *Mémoires d'Outre-Tombe*.

LE MOUVEMENT ROMANTIQUE

D'après Victor Hugo, "le romantisme, c'est le libéralisme en littérature." A cette époque les écrivains se révoltent contre les règles établies au XVIIe siècle. Ils veulent une littérature personnelle: c'est le triomphe du "moi," car les romantiques expriment volontiers leurs émotions, leurs enthousiasmes, leurs passions. Le romantisme donne donc lieu à une littérature individuelle, opposée au classicisme qui présente ce qu'il y a de commun à tous les hommes. D'autre part, les auteurs qui appartiennent à ce mouvement cherchent des sujets éloignés dans le temps et dans l'espace pour s'évader de la réalité et ils placent leurs personnages dans un cadre et une époque bien déterminés—c'est ce qu'on appelle la couleur locale—tandis que le décor des classiques est vague, indéfini.

1. Le chef des romantiques et un des plus grands écrivains du monde est Victor Hugo (1802–1885). Ses œuvres principales comprennent des poèmes, des romans et des drames.

(a) Avec un vocabulaire considérable, une connaissance parfaite de la langue, avec une imagination débordante et une splendeur incomparable dans ses images, Victor Hugo a vraiment été un poète de génie. Sa production a été énorme; il y a donc un certain nombre de poèmes qui n'ont pas beaucoup de valeur mais la plupart sont dignes de notre admiration. Ses principaux recueils et les meilleurs sont *Les Orientales* (1829); *Les Châtiments* (1853); *Les Contemplations* (1856)—son chef-d'œuvre lyrique; *La Légende des siècles* (1859–1883) où le poète montre son génie épique; un recueil plein de fantaisie, *Chansons des Rues et des Bois* (1865); et *L'Art d'être grand-père* (1877).

(b) Victor Hugo s'impose aussi dans le roman. S'intéressant aux conditions sociales, il est gagné par les idées humanitaires du siècle et il les exprime dans son grand roman *Les Misérables* (1862)

Manuscrit de *Ruy Blas*, drame de Victor Hugo, avec dessins de l'auteur.

Victor Hugo, le plus grand auteur français, a été le chef de file des romantiques et l'ennemi implacable de Napoléon III.

Alphonse de Lamartine a été un grand poète et un homme politique actif.

qui raconte la vie pénible de Jean Valjean. Avec *Notre-Dame de Paris* (1831), il évoque d'une façon pittoresque, mais un peu trop irréelle, le Paris du Moyen Age.

(c) Victor Hugo a créé des drames dont l'un, *Hernani* (1830), a été le sujet d'une vraie bataille entre les Anciens (classiques) et les Modernes (romantiques). Dans cette pièce l'auteur applique en partie les règles du nouveau théâtre dramatique qu'il avait énoncées dans la préface d'une pièce précédente, *Cromwell* (1827), et dont les principales sont: (1) pour faire plus vivant il faut mélanger le comique et le dramatique; (2) il faut supprimer les unités de temps et de lieu mais l'unité d'action doit être maintenue; et (3) la "couleur locale" doit contribuer à l'intérêt de la pièce. *Hernani* et *Ruy-Blas* (1838), tous deux écrits par Victor Hugo, sont les chefs-d'œuvre du drame romantique.

2. Grand poète lyrique, Alphonse de Lamartine (1790–1869) a exprimé dans des vers d'une grande harmonie:

(a) La douleur profonde de son âme après la mort de sa grande amie Madame Charles dans "Le Lac" et "L'Isolement" tirés du recueil *Méditations poétiques* (1820).

(b) Sa foi religieuse dans "Hymne du Matin" et "Milly ou la Terre Natale" du recueil les *Harmonies poétiques et religieuses* (1830); et dans ses épopées *Jocelyn* (1836) et *La Chute d'un Ange* (1838).

(c) Ses émotions intimes dans *La Vigne et la Maison* (1857) qui, par la profondeur des sentiments et par l'admirable variété du rythme, est son chef-d'œuvre lyrique.

3. Un autre poète de génie, Alfred de Vigny (1797–1863), a présenté des idées philosophiques sous forme de symboles dans des vers d'une douce mélancolie sentimentale. Il a proclamé la solitude de l'homme supérieur dans une société médiocre qui ne le comprend pas. A son avis le gentilhomme, l'écrivain de génie, le soldat, le penseur sont les "parias" de la société moderne. D'autre part, il a prêché le dévourment stoïque au devoir. Ses poèmes, *Moïse*

L'œuvre d'Alfred de Vigny est d'une grande élévation philosophique et morale.

L'œuvre immense d'Honoré de Balzac, *La Comédie Humaine*, fait revivre toute la société du temps. (*Le Courrier Balzacien*).

Le plus romantique des romantiques, Alfred de Musset a écrit les meilleures pièces de théâtre de l'époque.

(1822), *La Mort du Loup* (1843), *La Maison du Berger* (1844) et son chef-d'œuvre, *La Bouteille à la Mer* (1854); ses romans *Cinq-Mars* (1826), *Serçitude et Grandeur militaires* (1835); et son drame *Chatterton* (1835) sont parmi ses meilleures œuvres.

4. Le dernier grand romantique est Alfred de Musset (1810–1857) qui a surtout chanté les souffrances de l'amour, car, pour lui, la souffrance est la vraie "Muse," l'inspiratrice par excellence des poètes. *Rolla* (1833) et les *Nuits* (1835–1837) sont parmi ses meilleures œuvres poétiques. D'autre part, son génie plein d'humour et de fantaisie lui a fait composer des comédies spirituelles et délicieuses telles que *Fantasio* (1834), *On ne badine pas avec l'Amour* (1834), *Il ne faut jurer de rien* (1836). Il a aussi écrit un drame *Lorenzaccio* (1833) et un roman autobiographique, *La Confession d'un enfant du siècle* (1836).

BALZAC

Honoré de Balzac (1799–1850) est un des géants de la littérature, un romancier sans exemple par l'immensité de son œuvre. C'est un romantique à l'imagination puissante de visionnaire combinée à des dons d'observateur et de peintre réaliste. Il a tracé avec minutie et précision un immense tableau de la vie contemporaine en France qu'il a appellé *La Comédie humaine*. Il y a montré l'influence du milieu matériel et social sur l'individu. De nombreux personnages reviennent de roman en roman, ce qui rend le "monde de Balzac" très vivant et d'une réalité saisissante. Le meilleur de son œuvre se trouve dans ses personnages à qui il a donné une vie intense par ses descriptions. Ses héros sont généralement poussés par un sentiment démesuré: le Père Goriot par l'amour paternel et le Père Grandet par l'avarice. Ce sont ces passions qui, comme chez les classiques, amènent une crise et un dénouement fatal. Ses principales œuvres sont:

1. Des œuvres philosophiques: *La Peau de Chagrin* (1831); *La Recherche de l'Absolu* (1834).

2. Des études de mœurs: *Eugénie Grandet* (1833) et *Le Père Goriot* (1834) qui sont ses deux chefs-d'œuvre; *Le Lys dans la Vallée* (1835); *La Cousine Bette* (1846); *Le Cousin Pons* (1847).

3. Des romans historiques: *Les Chouans* (1829).

4. Des romans mystiques: *Séraphita* (1832).

Michelet a rendu l'histoire aussi intéressante qu'un roman. Malheureusement, ses dons artistiques et ses idées préconçues lui ont parfois fait oublier la nécessité d'être exact.

LES HISTORIENS

Les philosophes du XVIIIe siècle et les écrivains préromantiques ont mis l'histoire à la mode et elle est devenue, au XIXe siècle, un véritable genre littéraire.

Il y a deux tendances chez les historiens:

1. Certains présentent simplement les faits historiques sans les juger, comme Augustin Thierry (1795–1856) dont les *Récits des Temps mérovingiens* (1840) font revivre la Gaule du VIe siècle.

2. D'autres cherchent à dégager les idées qui découlent des faits historiques, comme le comte Alexis de Tocqueville (1805–1859) qui s'est intéressé au progrès des constitutions démocratiques dans ses deux ouvrages, *La Démocratie en Amérique* (1839) et *L'Ancien Régime et la Révolution* (1856).

3. Ces deux tendances sont réunies chez Jules Michelet (1798-1874). En effet, celui-ci s'est basé sur une documentation rigoureuse pour écrire son *Histoire de France* et son *Histoire de la Révolution française* dans lesquelles il a présenté une "résurrection intégrale du passé," tout en essayant de dégager la loi fondamentale de l'histoire de l'humanité. Il a ainsi fait œuvre de savant, d'artiste et de

philosophe. Les œuvres de sa majorité sont les meilleures car, malheureusement, il est devenu trop partisan vers la fin de sa vie, et il a fini par déformer la réalité.

La Philosophie

A cette époque, la théorie la plus importante est celle du positivisme. C'est une méthode qui se base exclusivement sur l'étude des faits. Auguste Comte (1798–1857) en est le fondateur. D'après lui, la pensée humaine a d'abord passé par une période "théologique," ensuite par une période "métaphysique," et maintenant elle entre dans la période "positive." Auguste Comte a créé une science nouvelle—la sociologie—et il a abouti, dans son *Système de Politique positive* (1854), à une religion de l'humanité.

Les Arts

LA PEINTURE

1. L'école néo-classique domine au début du siècle: c'est la peinture académique qui continue la grande tradition classique en France. Louis David, déjà mentionné parmi les artistes du XVIIIe siècle, est devenu le peintre officiel de Napoléon qui admirait beaucoup la civilisation romaine dont il avait pris l'aigle comme emblème. David a glorifié le régime impérial dans ses grandes compositions historiques comme *Le Sacre de Napoléon Ier* et *La Distribution des Aigles.*

2. Les artistes de l'école romantique sont très influencés par les idées politiques et littéraires et ils renouvellent l'art, comme le font les écrivains. Des tableaux aux formes tourmentées, aux compositions asymétriques remplacent l'ordre et la froideur des toiles classiques. Les peintres romantiques peignent des sujets très dramatiques où les personnages montrent une grande intensité d'émotion. Au lieu de l'antiquité grecque ou latine, ils préfèrent le Moyen Age pittoresque ou l'Orient exotique et ils emploient la couleur locale pour placer leurs scènes dans un endroit bien défini.

Entrée des Croisés à Constantinople, par Delacroix. (*Bulloz*).

Les principaux peintres de l'école romantique sont Théodore
Géricault (1791–1824), dont un des meilleurs tableaux est *Le Radeau
de la Méduse* où il peint l'horreur d'un naufrage; et Eugène
Delacroix (1798–1863) qui, par le mouvement énergique de sa
composition, fait ressortir la qualité dramatique de ses sujets comme
dans *La Barque de Dante* ou *Les Massacres de Scio*.

L'ARCHITECTURE ET LA SCULPTURE

Au début du siècle plusieurs constructions de style antique sont
bâties à Paris:

1. L'arc de triomphe de l'Étoile, œuvre de l'architecte Chalgrin,
est un monument colossal inspiré de l'antique, deux fois plus grand

L'arc de triomphe de l'Étoile. (*Préfecture de police*).

que l'arc de Constantin à Rome. Commandé par Napoléon et commencé en 1806, il évoque l'épopée impériale. Il n'a été terminé qu'en 1836 après un arrêt d'une vingtaine d'années sous la Restauration. Les groupes de sculptures qui ornent les faces de l'arc sont dûs à plusieurs artistes. L'un d'eux, d'un talent bien supérieur à celui des autres, François Rude (1784–1855), s'est élevé au sublime dans son bas-relief du *Départ*—appelé "la Marseillaise de pierre."

Malgré l'incompréhension de ses contemporains, Hector Berlioz a composé des œuvres remarquables et durables.

2. Construit entre 1806 et 1808, au centre des parterres qui se trouvent entre les deux ailes extrêmes du palais du Louvre, l'arc de triomphe du Carrousel célèbre les campagnes impériales de 1805: Austerlitz, Ulm, Tilsit, etc.

3. Un des édifices les plus connus de la capitale est la Madeleine, construite en forme de temple grec, dont Napoléon voulait faire un temple consacré à la gloire de la Grande Armée. Depuis 1842, c'est une église catholique où va le Tout-Paris et où se célèbrent de grands mariages.

LA MUSIQUE

Les idées romantiques ont influencé un compositeur français de talent: Hector Berlioz (1803–1869). Celui-ci a bouleversé la tradition par sa fougue et ses tonalités qui semblaient dissonantes à l'époque. *La Symphonie fantastique* et son opéra *La Damnation de Faust* (1846) sont parmi ses meilleures œuvres.

Les Sciences

LES DÉCOUVERTES SCIENTIFIQUES

Pendant tout le XIXᵉ siècle, la science française a été très brillante, et les découvertes scientifiques se sont multipliées en ce siècle de la révolution industrielle.

1. Le marquis de Laplace (1749–1827), mathématicien et astronome a exposé son "Hypothèse" sur l'origine nébulaire du système solaire. Il a découvert plusieurs lois sur le mouvement des planètes et des étoiles qu'il a expliquées dans des ouvrages tels que *Exposition du Système du Monde* (1796) et *Traité de Mécanique céleste* (1799). Plus tard, en 1846, un autre astronome français Urbain Le Verrier (1811–1877) a découvert par le calcul seul l'existence de la planète Neptune dont il a déterminé la position et la grandeur.

2. George Cuvier (1769–1832) a fondé l'anatomie comparée et la paléontologie ou science des fossiles.

3. André Marie Ampère (1775–1836), qui a trouvé le principe de la télégraphie et la loi fondamentale de l'électrodynamique, a donné son nom à l'unité du courant électrique.

4. Augustin Fresnel (1788–1827) a établi la théorie ondulatoire de la lumière, alors que depuis Newton (vers 1704) on croyait que la lumière se propageait en ligne droite. Ce savant a aussi inventé le phare à lentille.

5. D'autre part, un mécanicien de Lyon, Joseph-Marie Jacquard (1752–1834) a inventé le métier à tisser qui porte son nom. La partie principale de cette machine fonctionne par une série de cartons troués dont la disposition permet la reproduction mécanique d'un dessin original, souvent très compliqué.

6. Dans un autre domaine, Jean François Champollion (1790–1832) a réussi à déchiffrer les hiéroglyphes de l'ancienne Égypte, ce qui a permis de mieux comprendre cette civilisation si intéressante.

Métier à tisser de Jacquard. Les cartons troués qui permettent de fabriquer un tissu au dessin compliqué, rappellent les cartes perforées des machines électroniques modernes.

LA MÉDECINE

Elle a aussi fait de grands progrès:

1. René Laënnec (1781–1826) a étudié les maladies du cœur, il a inventé le stéthoscope et découvert la méthode moderne d'auscultation.

2. En zoologie Jean-Baptiste de Lamarck (1744–1829) a fait des recherches sur les animaux sans vertèbres. Il a parlé de "transformisme" (1809) et sa théorie a précédé de cinquante ans celle de Darwin sur l'évolution.

Questions

L'HISTOIRE

1. Quels ont été les différents gouvernements de Bonaparte?
2. Parlez des campagnes de Napoléon. A-t-il toujours été victorieux?
3. Où a-t-il été exilé après son abdication? Y est-il resté?
4. Quand a-t-il été définitivement battu? Où a-t-il été de nouveau exilé? Où est-il enterré maintenant? Depuis quand?
5. Décrivez Napoléon Ier et dites quelle est son œuvre durable.
6. Qui a régné après Napoléon Ier? Comment était Louis XVIII? Quel gouvernement a-t-il établi?
7. Qui est Charles X? a-t-il été populaire? Pourquoi?
8. Qui a succédé à Charles X? Qui l'a appelé au pouvoir? Que s'est-il passé pendant son règne?

LA LITTÉRATURE ET LA PHILOSOPHIE

1. Quelles sont les idées politiques et sociales au XIXe siècle?
2. Pourquoi les écrivains sont-ils mélancoliques? A quoi ce sentiment donne-t-il naissance?
3. Nommez un important précurseur romantique. Qui admire-t-il? Ces deux auteurs ont-ils écrit en vers?
4. Quelles sont les caractéristiques littéraires de Chateaubriand? En quoi est-il important pour la littérature du XIXe siècle?
5. Qu'est-ce que le romantisme d'après Victor Hugo? Que veulent les auteurs romantiques? Quelles sont les principales caractéristiques du romantisme?
6. Quelles sont les qualités de Victor Hugo poète et écrivain? Nommez ses meilleurs recueils de vers.
7. Quelles sont ses contributions dans le roman?
8. Quelles sont les règles du théâtre romantique? Quels sont les drames importants de Victor Hugo?
9. Qui est Lamartine? Pourquoi est-il si triste? Dans quels poèmes exprime-t-il cette douleur?
10. Nommez des œuvres où ce poète montre sa foi religieuse.

11. Quelle est la philosophie d'Alfred de Vigny? Parlez de ses différentes œuvres.
12. Qui est le dernier grand romantique? Qu'est-ce qu'il a écrit?
13. Quelle est la grande œuvre de Balzac? Cet auteur est-il simplement romantique? Expliquez.
14. Comment est le "monde de Balzac"? Pourquoi? Décrivez ses personnages principaux. Nommez quelques-uns de ses livres.
15. Pourquoi l'histoire est-elle à la mode au XIXᵉ siècle? Quelles sont les tendances des historiens? Nommez plusieurs historiens et leurs œuvres.
16. Quelle est l'originalité de Michelet? Comment est son œuvre? Est-il toujours resté objectif?
17. Qu'est-ce que le positivisme? Qui en est le fondateur? Quelle science a-t-il créée?

LES ARTS
1. Comment l'école néo-classique a-t-elle servi Napoléon? Qu'a fait Louis David?
2. Comparez les œuvres néo-classiques et romantiques.
3. Nommez des peintres romantiques et leurs œuvres.
4. Quel style domine en architecture au début du siècle? Comment est l'Arc de Triomphe de l'Étoile? Qu'est-ce qu'il évoque?
5. Comment est le bas-relief de Rude? Comment l'appelle-t-on?
6. Nommez deux autres édifices bâtis dans le style antique et décrivez-les.
7. Qui est Hector Berlioz? Comment a-t-il bouleversé la tradition? Quelles sont ses principales œuvres?

LES SCIENCES
1. Parlez des principaux savants de l'époque et de leurs découvertes.
2. La médecine a-t-elle fait des progrès? De quelle façon?
3. Qu'est-ce que le "transformisme"? Qui en a parlé? De qui ce savant est-il le précurseur?

Sujets de Composition Française

1. Napoléon a été très influencé par l'histoire et la civilisation romaines. Montrez comment ses guerres, son administration, et les œuvres artistiques de son époque en sont le témoin.
2. Comparez Charlemagne et Napoléon: leur vie, leurs campagnes militaires et leur administration.
3. Quelles différences y a-t-il entre le régime monarchique de Louis XVIII et celui des rois de l'Ancien Régime?
4. Quels sont les principaux précurseurs français et étrangers qui ont influencé les romantiques? Qu'est-ce que ces derniers doivent à chacun d'eux?
5. Parmi les découvertes françaises de la période traitée dans ce chapitre quelles sont les plus importantes à votre avis? Pourquoi sont-elles si importantes?

Les impressionnistes choisirent de peintre la lumière plutôt que l'objet, l'instant fugitif plutôt que l'éternel. Pierre Renoir est un des principaux peintres de cette école qui préparait l'art moderne. Un de ses tableaux les plus célèbres: *Le Moulin de la Galette*.

Chapitre 8

La Seconde Moitié du XIXe siècle

L'Histoire

LA DEUXIÈME RÉPUBLIQUE

A la chute de Louis-Philippe, en 1848, la Chambre des Députés a élu un gouvernement provisoire, composé de républicains modérés. Quand ils sont arrivés à l'Hôtel de Ville de Paris où ils devaient siéger, les membres de ce gouvernement y ont trouvé des représentants des ouvriers parisiens qui ne voulaient pas laisser les bourgeois profiter de la révolution comme en 1830.

Les deux groupes se sont réunis pour éviter de nouveaux troubles, et la Deuxième République a été votée. C'est la première fois en France que des représentants des ouvriers font partie d'un gouvernement. Puis les Français (ceux qui pouvaient voter) ont élu le prince Louis-Napoléon Bonaparte, neveu de Napoléon Ier, Président de la République en décembre 1848; mais ce dernier a rétabli l'empire par un coup d'État le 2 décembre 1851.

LE SECOND EMPIRE

Napoléon III—empereur de 1851 à 1870—a d'abord gouverné en despote, puis il a modifié le régime en 1860 et l'a rendu beaucoup plus libéral en 1867. Cependant il a engagé la France dans de nouvelles guerres. Allié à l'Angleterre, il a fait une campagne en Crimée pour empêcher que les Russes ne prennent Constantinople. Cette ville est finalement restée à la Turquie à qui elle appartient toujours. Il a aidé Victor-Emmanuel, roi de Piémont dans sa lutte contre l'Autriche pour l'unification de l'Italie et la France a reçu la Savoie et le comté de Nice comme prix de son aide. Il est aussi intervenu au Mexique (1861–1867) mais son protégé Maximilien d'Autriche a finalement été exécuté après une révolution.

Enfin Napoléon III a été provoqué par la Prusse avec laquelle il est entré en guerre en 1870. A cette époque le roi de Prusse, Guillaume Ier avait un ministre, Bismark, qui voulait effectuer à tout prix l'unification des pays allemands. Après une campagne de six semaines, pendant laquelle les Prussiens ont envahi la France, l'empereur a été fait prisonnier à Sedan, avec son armée, le 4 septembre 1870. Il a été forcé d'abdiquer et un gouvernement de la Défense Nationale—sous la direction de Thiers et de Gambetta—a continué la guerre. Paris, assiégé pendant quatre mois, a dû capituler le 18 janvier 1871. Le traité de Francfort (10 mai 1871) a enlevé l'Alsace et une grande partie de la Lorraine à la France, soit plus d'un million et demi de français; il obligeait la France à payer une indemnité de guerre énorme—cinq milliards de francs or—et d'assumer les frais d'entretien d'une armée d'occupation jusqu'au règlement complet de cette indemnité, qui a eu lieu en septembre 1873.

LE SOCIALISME

Depuis le début du siècle, la misère du prolétariat avait incité des théoriciens à essayer de résoudre la question sociale: par exemple, le comte de Saint-Simon (1760–1825) avait voulu donner une place importante aux producteurs dans la société. Plus tard Pierre Proudhon (1809–1865) avait attaqué le principe de propriété: "La propriété, c'est le vol," disait-il. Il avait cependant refusé d'accepter l'idée d'un socialisme d'État et il est plutôt considéré comme l'ancêtre du syndicalisme. Finalement le socialisme naissant était devenu international avec l'allemand Karl Marx, auteur du *Manifeste communiste* (1848) et du *Capital* (1867), et la première Internationale ouvrière a été créée à Londres en 1864.

Les idées socialistes n'ont eu aucune influence sur la révolution de 1830: elles sont en partie responsables de celle de 1848, tandis qu'elles ont eu une influence directe sur l'insurrection de 1871

Portrait de Napoléon III.
(*Fosse*).

Pierre Proudhon, un des
précurseurs du socialisme.

appelée "la Commune." Celle-ci est bien une révolte du prolétariat
cherchant, par tous les moyens, à améliorer son sort. Malheureusement, elle a eu lieu à un moment bien inopportun: sous les yeux
amusés des Allemands vainqueurs. D'autre part les excès des
insurgés—exécution d'otages, incendie des Tuileries, de l'Hôtel de
Ville, etc.—ont occasionné de la part du gouvernement une ré-
pression à outrance.

La Troisième République, établie le 4 septembre 1870, et régie par la Constitution de 1875, est née sous une bien mauvaise étoile. Elle a éprouvé bien des difficultés. Cependant, elle a duré jusqu'en 1940!

La Littérature

LE POSITIVISME

Philosophe, critique et historien, Hippolyte Taine (1828–1893) a appliqué la méthode scientifique du positivisme à la critique et à l'histoire. Il a prétendu expliquer l'être humain et ses actions en se basant sur trois facteurs: la race, le milieu et le moment. Mais cette méthode est trop arbiraire car l'homme est un être complexe et on ne peut établir des lois fixes et immuables pour l'expliquer comme si on voulait résoudre un problème de géométrie. Taine a cependant eu beaucoup d'influence sur les écrivains naturalistes.

LES ROMANCIERS RÉALISTES ET NATURALISTES

Des écrivains se sont dressés contre les excès de sentimentalité et d'imagination des romantiques. Ils s'intéressaient à la réalité et voulaient la décrire toute entière en se basant sur l'observation et la documentation, influence des sciences expérimentales.

1. Gustave Flaubert (1821–1880), malgré son tempérament passionné et ses tendances vers l'effusion romantique, a lutté toute sa vie pour s'exprimer d'une façon objective, impersonnelle. Son chef-d'œuvre, *Madame Bovary* (1857), raconte la vie d'une jeune femme de nature romantique qui n'arrive pas à faire accorder ses rêves avec la réalité bien peu intéressante de son milieu de province. Cette opposition entre le rêve et la réalité est soulignée par une analyse psychologique précise et une description exacte de la réalité, dans un style d'une forme parfaite. D'autre œuvres importantes de Flaubert sont *Salammbô* (1862) et *Trois Contes* (1877).

2. Émile Zola (1840–1902) a réclamé pour le romancier une liberté complète dans le choix de ses sujets. Il voulait que le roman, comme les études scientifiques, étudie impersonnellement tous les problèmes, laids ou beaux. Influencé par la méthode expérimentale

Émile Zola a voulu appliquer au
roman les principes de la
méthode expérimentale.

Malgré ses tendances
romantiques, Gustave Flaubert
s'est donné l'impersonnalité pour
loi.

et le positivisme, il pensait que l'homme est soumis à un déterminisme universel, et c'est ce qu'il a cherché à démontrer dans ses
œuvres. Parmi ses meilleurs romans, on compte *L'Assommoir* (1877),
qui décrit les ravages de l'alcoolisme dans une famile d'ouvriers
parisiens, et *Germinal* (1885), qui place l'action chez les mineurs du
Nord de la France. Artiste plein d'imagination, Zola a rempli ses
œuvres de tableaux grandioses où les choses ont parfois une vie
propre comme l'alambic dans *L'Assommoir* ou la mine dans
Germinal.

LA POÉSIE

Les effusions personnelles et les préoccupations sociales des
romantiques amènent certains poètes à chercher d'autres voies
d'expression.

1. Théophile Gautier (1811–1872) recherche avant tout la Beauté
pure car pour lui l'art n'est pas un but mais un moyen. Il cultive la
forme et choisit soigneusement ses mots. Ses idées naissent généralement d'images qu'il transforme en symboles. Son chef-d'œuvre est
Émaux et Camées (1852).

2. L'école parnassienne continue l'œuvre de Théophile Gautier.
Les poètes affectent une certaine impassibilité et réagissent contre

La poésie de Charles
Baudelaire présente avec
sincérité toute la
complexité d'une âme
tourmentée.

Arthur Rimbaud d'après un
dessin de Verlaine.

les libertés de la versification romantique. Le chef de l'école est
Leconte de Lisle (1818–1894) dont les poèmes rappellent des
civilisations disparues ou des contrées lointaines. Ses recueils
principaux sont *Poèmes antiques* (1852), *Poèmes barbares* (1862) et
Poèmes tragiques (1884).

3. Charles Baudelaire (1821–1867), précurseur des symbolistes, a
été continuellement obsédé par la fuite du temps, par le "spleen,"
assoiffé de pureté, de beauté et d'idéal. Il a trouvé des correspon-
dances entre les différents sens comme le goût, la vue, l'odorat, et
il a employé ces sensations pour en évoquer d'autres. "Il est des
parfums frais comme des chairs d'enfant . . ." Dans son recueil *Les
Fleurs du Mal* (1857), il a évoqué indirectement la réalité intérieure
subjective et le lecteur y trouve un peu de lui-même.

4. A l'aide d'images indécises et par la musique de ses vers, Paul
Verlaine (1844–1896) a traduit des états d'âme d'une façon remarquable. Ses meilleurs poèmes ont une grâce aérienne et sont aussi
musicaux qu'une chanson: *Fêtes galantes* (1869), *Sagesse* (1881),
Jadis et Naguère (1884).

5. Arthur Rimbaud (1854–1891) a écrit tous ses poèmes avant
d'avoir vingt et un ans, âge auquel il a abandonné la littérature pour
une vie errante dans plusieurs continents. Ses poèmes en vers ou en
prose sont parfois difficiles à comprendre, car il essaie de pénétrer,

par l'hallucination, dans le surnaturel et de peindre ce qu'il y trouve: *Bateau ivre* (1871), *Une Saison en Enfer* (1873), *Illuminations* (1874).

6. Les poètes précédents ont ouvert la voie aux symbolistes dont certains cherchent à suggérer les secrets de leur vie intérieure, à l'exemple de Verlaine; d'autres aspirent à évoquer, derrière les apparences, l'essence des choses. C'est le but de Stéphane Mallarmé (1842–1898), le chef du mouvement symboliste, qui a laissé des poèmes d'une grande perfection mais dont le sens échappe souvent au lecteur. Une de ses meilleures œuvres est *L'Après-midi d'un Faune* (1876).

Les Arts

LA PEINTURE

1. Le mouvement réaliste a eu de nombreux adeptes en peinture. Les artistes voulaient peindre ce qu'ils voyaient sans rien changer à la réalité. Ils ont ainsi reproduit des scènes de la vie courante sans montrer leurs propres émotions.

(a) Gustave Courbet (1819–1877) a fait scandale avec un tableau qui semble bien inoffensif maintenant: *L'Enterrement à Ornans.*

(b) Les paysagistes de l'école de Fontainebleau ont peint aussi ce qu'ils voyaient, mais ils ont travaillé en plein air, à la campagne. Jean-Baptiste Corot (1796–1875) a peint d'une façon remarquable

Etang de Ville-d'Avray, par Corot. *(Sylvester).*

Le Fifre, par Manet.

des matins limpides et des soirs aux brumes argentées: *Paysage matinal*. Jean-François Millet (1815–1875), peintre des humbles, les a représentés avec un sentiment fraternel, un peu mièvre parfois: *Les Glaneuses, L'Angélus*.

(c) Edouard Manet (1832–1883) a choqué ses contemporains avec son *Olympia* (1863), non pas parce que c'est une femme nue, mais parce que le sujet n'est pas idéalisé selon la convention académique. Il est arrivé plus tard à un style impressionniste dans des tableaux comme *Le Bar des Folies Bergères*.

2. Les impressionistes se sont surtout appliqués à rendre les effets de la lumière sur les choses; comme celle-ci change constamment suivant les heures du jour et la qualité des nuages, les objets qu'elle éclaire changent également d'apparence.

(a) Claude Monet (1840–1926), le plus typique de ces peintres, a représenté dix-sept fois la cathédrale de Rouen à des heures différentes de la journée et aucun de ces tableaux ne ressemble aux autres.

(b) Edgar Degas (1834–1917) est célèbre pour ses danseuses dont il étudie tous les gestes.

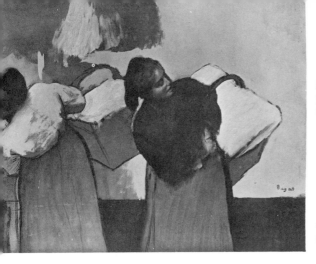

Les Blanchisseuses,
par Degas.
(U.S.I.S.)

Blanche Monet en train de
peindre, par Monet, un des
maîtres de l'impressionnisme.
(Collection Gard de Silva,
L.A. Museum of Art).

(c) Auguste Renoir (1841–1919) se distingue par la composition beaucoup plus étudiée que celle des autres peintres de la même école. Il a cependant créé des tableaux très lumineux, comme *Le Moulin de la Galette, Le Déjeuner des Canotiers,* ou *Madame Charpentier et ses enfants.*

3. Au lieu de peindre la réalité comme ils la voient, les post-impressionistes veulent "interpréter" cette réalité avec leurs sentiments et leur raison.

(a) Paul Cézanne (1839–1906) omet certains détails dans ce qu'il voit; il réduit chaque élément à son caractère essentiel; et il arrange le tout afin de présenter une composition solide et harmonieuse. Il veut découvrir des formes géométriques dans la nature: ainsi la profondeur est aussi importante que la largeur et la longueur. C'est le début du cubisme. Parmi ses meilleures œuvres on peut nommer *Les Joueurs de cartes* et *La Montagne Sainte-Victoire.*

(b) Paul Gauguin (1848–1903), marié, père de cinq enfants, riche courtier en Bourse, laisse tout vers 1883 et s'adonne à la peinture.

Paysage à l'Estaque, par Cézanne.

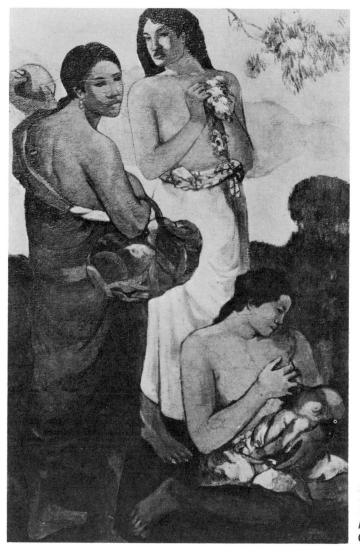

Maternité, par Gauguin.

Il va en Bretagne, puis à Arles où il vit un moment avec son ami Van Gogh; en 1891 il s'en va à Tahiti et il habite en Polynésie jusqu'à sa mort. Ses plus belles toiles représentent des scènes des îles du sud. Il y exprime son amour de la vie primitive et des couleurs brillantes dans des tableaux très décoratifs, baignés des couleurs et de la lumière des pays du sud comme dans ses toiles intitulées *Maternité* et *Tahitiennes*.

La Chambre à Arles, par Van Gogh.

 (c) Vincent van Gogh (1853–1890) est né en Hollande, mais il a surtout passé sa vie en France. Il s'est suicidé dans un accès de folie à trente-sept ans après avoir créé presque toute son œuvre en quatre ans. Ses tableaux à lui aussi sont hauts en couleurs et il communique aux choses une vie intense, étonnante comme on peut le voir dans des peintures telles que *La Moisson* ou *Chambre d'Arles*.

L'ARCHITECTURE ET LA SCULPTURE

 1. Il n'y a pas de nouveautés en architecture, et les architectes s'inspirent des styles précédents.

 (a) La basilique du Sacré-Cœur à Paris a été bâtie de 1876 à 1914 sur les plans de l'architecte Paul Abadie (1812–1884) et entièrement payée par les catholiques. Elle s'inspire d'un style datant du Moyen Age qui combine certaines caractéristiques du style roman (l'arc rond) et du style byzantin (les coupoles et le dôme).

(b) L'Opéra de Paris est l'œuvre de l'architecte Charles Garnier (1825–1898) qui voulait créer un "style Napoléon III," mais son bâtiment n'est pas assez original et ses décorations trop riches pour avoir fait école. L'Opéra a été construit de 1862 à 1875.

2. Il y a deux grands sculpteurs pendant cette période :

(a) Jean-Baptiste Carpeaux (1827–1875), qui fait "vivre" ses personnages dans des scènes telles que le groupe de *La Danse* sculpté pour la façade de l'Opéra à Paris.

La façade de l'Opéra vue de nuit.

La Danse, par Carpeaux. (*Vals*).

117

(b) Auguste Rodin (1840–1917) dont les principales œuvres, au réalisme puissant, sont *Le Penseur*, *Le Baiser* et *Les Bourgeois de Calais*.

LA MUSIQUE

1. L'opéra français a produit un grand nombre de compositeurs de talent:

(a) Charles Gounod (1818–1893) a un style sobre et soigné. Son chef-d'œuvre *Faust* (1859) est encore au répertoire de nombreux théâtres français et étrangers.

Victor Hugo, par Rodin. (*Hommage à Rodin 1967/68. Los Angeles County Museum of Art*).

Gounod, par Carpeaux.

(b) Georges Bizet (1838–1875) a composé des symphonies et des opéras célèbres: *Les Pêcheurs de Perles* et *L'Arlésienne*. Son chef-d'œuvre, *Carmen* (1875), est plein de vie et de pittoresque.

(c) Jules Massenet (1842–1912) est un compositeur savant, pathétique et raffiné. Ses principaux opéras sont *Manon, Thaïs, Werther* et *Hérodiade*.

2. Une réaction se fait contre l'opéra et les compositeurs reviennent à la musique de concert:

(a) César Franck (1822–1890), par l'emploi du chromatisme, de la forme cyclique et de l'ample mélodie a renouvelé la musique française moderne. Parmi ses meilleures compositions il y a *Les Béatitudes*, un oratorio, et des poèmes symphoniques comme *Le Chasseur maudit*. Il a eu une grande influence sur les musiciens français qui l'ont suivi tels que Lalo, Duparc, Chabrier et Dukas.

(b) Camille Saint-Saens (1835–1921) est un improvisateur-né dont la musique, très française d'inspiration, est bien classique par la pureté et la perfection de la forme. Il a réintroduit le goût de la musique symphonique en France. Ses meilleures œuvres sont: un opéra, *Samson et Dalila*—son chef d'œuvre; des poèmes symphoniques comme *La Danse macabre* et *Le Rouet d'Omphale*; des symphonies de toutes sortes. Sa production a été considérable.

(c) Gabriel Fauré (1845–1924) est un compositeur de chansons (chansons de concert); il prend ses textes chez des poètes tels que Victor Hugo, Baudelaire, Verlaine, comme dans *Clair de lune* et *Les Roses d'Ispahan*. Il a aussi composé de la musique de chambre et de la musique religieuse. Ses morceaux sont mélodieux et ont une grâce subtile et enveloppante.

Les Sciences

LA RÉVOLUTION INDUSTRIELLE

Dès 1815 les machines à vapeur ont fait leur apparition, le crédit s'est fondé. Les chemins de fer ont commencé à se développer (1823) d'abord comme entreprises privées, ensuite contrôlées par le gouvernement. Le progrès a été plus lent en France qu'en Angleterre: les grands centres industriels se sont surtout développés à la fin du XIXᵉ siècle et la fabrication en série n'a commencé en France que vers 1910.

Les ouvriers ont cependant eu une vie dure et misérable, la loi ne leur offrant aucune protection. La grande bourgeoisie s'est enrichie sans s'occuper des misères qui l'entouraient. C'est pourquoi les théoriciens socialistes ont essayé de trouver des remèdes aux souffrances et à la pauvreté causées par les nouveaux modes de travail. Enfin vers 1841 une loi limitant l'emploi des enfants a été votée, le droit d'association et de grève a été accordé en 1864 et en 1884 les syndicats ont été reconnus par la loi.

LES DÉCOUVERTES INDUSTRIELLES

Les découvertes industrielles se sont multipliées:

1. Auguste Comte (1798–1857), mathématicien et philosophe a fondé le positivisme par lequel il cherchait à découvrir les lois qui contrôlent les phénomènes naturels. Il a exposé ses théories dans son *Cours de philosophie positive*.

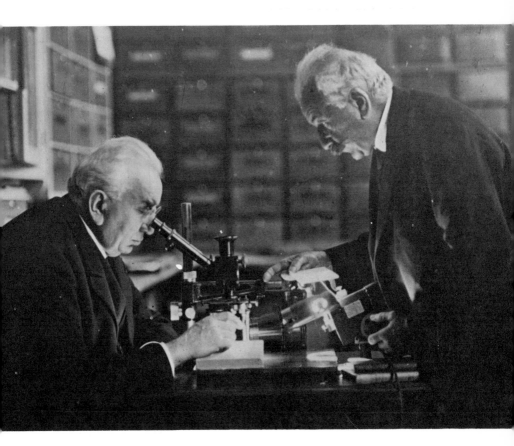

Les frères Lumière, inventeurs du cinéma, dans leur laboratoire.

2. Le chimiste Joseph Niepce (1765–1833) a inventé la photographie et Louis Daguerre (1787–1851) a perfectionné cette technique. D'autre part, vers 1895, les frères Louis (1864–1948) et Auguste (1862–1954) Lumière ont mis au point les appareils de prise de vue et de projection qui ont lancé la cinématographie.

3. Zénobe Gramme (1826–1901) a inventé, en 1869, la première dynamo industrielle permettant de produire de la lumière électrique. Et, en 1873, Hippolyte Fontaine (1833–1917) s'est aperçu, par hasard, que la dynamo est réversible, ce qui a permis l'invention du moteur électrique et l'utilisation de la houille blanche.

4. En 1896 le Français Edouard Branly (1844–1940) et l'Italien Guglielmo Marconi (1875–1937) ont mis sur pied un appareil de T.S.F. ("télégraphie sans fil") appelée aussi la "radio."

5. Une des inventions les plus importantes de la fin du siècle, en 1882, est celle du moteur à explosion fonctionnant à l'essence (essence de pétrole) de Fernand Forest (1851–1914) qui a permis à l'industrie automobile et à l'aviation de se développer.

LES GRANDS TRAVAUX

D'autre part, la deuxième partie du XIXe siècle, surtout sous le Second Empire, a vu l'exécution de travaux gigantesques:

1. Le baron Haussman a fait percer de larges avenues, boulevards et places à Paris telles que la place de l'Étoile et les Grands Boulevards; il a fait aménager 800 kilomètres d'égouts et construire quatre ou cinq nouveaux ponts, ainsi que des hôpitaux.

2. L'afflux des populations vers les grands centres a posé des problèmes d'urbanisme qui ont été résolus par la construction de nombreux bâtiments et aménagements "modernes," notamment à Marseille.

3. Le Canal de Suez a été une autre grande entreprise de la France impériale. De 1859 à 1869 Ferdinand de Lesseps, secondé par des capitaux, des machines, des contremaîtres français, et des ouvriers égyptiens, a ouvert une route maritime qui a abrégé de plus de moitié le trajet des Indes et de l'Asie et qui a redonné à la Méditerranée l'importance qu'elle avait perdue depuis les grandes découvertes de la fin du XVe siècle.

4. De plus, en 1871, le tunnel du Mont-Cenis, long de 12 km, a été ouvert à travers la montagne entre la France et l'Italie et donne passage à la voie ferrée Paris-Turin.

5. Enfin, la Tour Eiffel a été bâtie pour l'exposition de Paris de 1889; le pont Alexandre III, le Grand et le Petit Palais pour l'exposition de 1900.

LES DÉCOUVERTES MÉDICALES

Les découvertes médicales sont à l'échelle des inventions industrielles:

1. Claude Bernard (1813–1878) a créé la physiologie moderne en y introduisant la méthode expérimentale. D'après lui, l'observation donne naissance à l'hypothèse qui doit être contrôlée par l'expérience. Son *Introduction à l'étude de la médecine expérimentale* est un

chef-d'œuvre de méthode. Emile Zola s'en est inspiré en appliquant la méthode expérimentale à ses romans.

2. Un des plus grands savants du monde médical, qui a amélioré le sort de tous par ses découvertes, est Louis Pasteur (1822–1895), disciple de Claude Bernard pour la méthode. Il a réussi à établir par ses expériences que la fermentation, comme celle du vin ou des fromages, est due à un microbe spécifique; que les maladies contagieuses sont toutes dues à un microbe, spécial à chacune d'elles; et qu'on peut diminuer le danger causé par les microbes en faisant des cultures qui servent de vaccin contre les maladies infectieuses.

Ces trois découvertes ont eu des conséquences immenses: révolution dans l'hygiène, la médecine, la chirurgie, l'agriculture, dans certaines industries comme la fabrication du pain, de la bière, du

Pasteur, qui a découvert le vaccin contre la rage, pendant une expérience.

vin, du vinaigre et la conservation des aliments (pasteurisation du lait). Sa découverte de la vaccination contre la rage a été un bienfait immense pour l'humanité.

Questions

1. Que s'est-il passé après la chute de Louis-Philippe? Quel gouvernement a été formé? Par qui?
2. Qui a été le seul président de la Deuxième République? Pourquoi?
3. Quelles sont les guerres de Napoléon III?
4. Les Français ont-ils gagné la guerre contre la Prusse? Quelles ont été les conditions du traité de Francfort?
5. Parlez du socialisme au XIXe siècle. Qu'est-ce que la Commune?
6. Combien de temps la Troisième République a-t-elle duré?

LA LITTÉRATURE

1. A quoi s'intéressent les romanciers réalistes? A quoi sont-ils opposés? Qu'est-ce qui les influence?
2. Contre quoi Flaubert a-t-il lutté? Pourquoi? Quel est son chef-d'œuvre? Quel en est le thème?
3. Qui est Hippolyte Taine? Quelle est sa méthode? Sur quoi se base-t-il pour expliquer l'homme? Cette méthode est-elle bonne? Pourquoi?
4. Que savez-vous d'Émile Zola?
5. Comment s'appellent ses deux principales œuvres? Quel en est le thème?
6. Que cherche Théophile Gautier dans ses poèmes? Quel est son chef-d'œuvre?
7. Qu'est-ce que l'école parnassienne? Nommez un poète parnassien et ses principaux recueils.
8. De qui est le recueil *Les Fleurs du Mal?* Par quoi l'auteur a-t-il été obsédé toute sa vie?
9. Comment sont les poèmes de Verlaine? Nommez quelques-uns de ses recueils.
10. Parlez du poète Rimbaud. A-t-il écrit toute sa vie?
11. Qu'est-ce que le mouvement symboliste?
12. Qui est le chef de ce mouvement? Est-il facile à comprendre? Comment s'appelle une de ses meilleures œuvres?

LES ARTS

1. Nommez des peintres du mouvement réaliste. Comment veulent-ils peindre?
2. Qu'est-ce que l'école de Fontainebleau? Nommez-en les principaux peintres et leurs œuvres.
3. Qu'est-ce qui a choqué les contemporains de Manet? Pourquoi?
4. Que font les impressionnistes? Nommez des impressionnistes et leurs peintures.

5. Qu'est-ce que le post-impressionnisme? Comment Cézanne peint-il ses toiles? Quel genre commence avec Cézanne?
6. Que savez-vous de Gauguin et de ses tableaux?
7. Nommez un autre peintre post-impressionniste et ses tableaux. Combien de temps a-t-il peint?
8. Nommez des édifices importants bâtis à Paris pendant cette période. Quels en sont les caractéristiques?
9. Nommez deux sculpteurs et leurs œuvres. Où se trouvent ces groupes?
10. Parlez des compositeurs français d'opéra de cette époque et de leurs opéras.
11. Qui a renouvelé la musique française moderne? Comment? Qu'est-ce que *Le Chasseur maudit?*
12. Que savez-vous de Saint-Saens?
13. Qui est Gabriel Fauré? Qu'a-t-il composé?

LES SCIENCES
1. Parlez de la révolution industrielle en France.
2. Comment était la vie des ouvriers? Qui s'est occupé de l'améliorer? Nommez des lois importantes pour les travailleurs.
3. Qu'est-ce qu'Auguste Comte a fondé? A quoi sert cette méthode?
4. Qui a inventé la photographie?
5. Qu'est-ce qui permet de produire de l'électricité? Qui a inventé cet appareil?
6. Qu'est-ce qui a permis l'utilisation de la houille blanche? Expliquez aussi ce que c'est que la houille blanche.
7. Qui a découvert la cinématographie? Et la T.S.F.?
8. Quelle découverte a fait débuter l'industrie automobile et l'aviation?
9. Parlez des grands travaux entrepris à Paris par le baron Haussmann.
10. Qu'est-ce que le canal de Suez? Quelle est son importance? Qui en est l'architecte?
11. Nommez d'autres travaux et constructions importantes.
12. Qui a créé la physiologie moderne? Comment comprend-il les recherches de laboratoire? Quel est le titre de son livre?
13. Quelles sont les découvertes de Louis Pasteur et leurs conséquences?

Sujets de Composition Française

1. Les sciences sont devenues si importantes à partir de 1850 qu'elles ont influencé les lettres et les arts. Quelles sont les œuvres littéraires et artistiques qui, entre 1850 et 1900, dépendent le plus des idées scientifiques? De quelle façon sont-elles influencées par les sciences?
2. Quelles sont les principales caractéristiques des poésies qui font partie des écoles romantique, parnassienne et symboliste?
3. Décrivez les grands travaux et constructions effectués sous Napoléon III. Quelle est leur importance au point de vue esthétique, social et économique?
4. Décrivez la vie de Pasteur. Dites quelles sont ses découvertes et leur importance.

Le jour tant attendu par Charles De Gaulle et ses fidèles: La libération de Paris, en 1944.

Chapitre 9

La Troisième République et les deux Guerres Mondiales au XXe siècle

L'Histoire

DE 1870 À 1914

Conformément à sa devise "Liberté, Égalité, Fraternité," la Troisième République a effectué de nombreuses réformes qui ont amélioré le sort de tous:

—liberté de pensée, politique et religieuse (séparation de l'État et de l'Église en 1905);

—liberté du travail;

—égalité de tous devant la loi;

—l'enseignement primaire, établi partout en 1833, est déclaré laïque, gratuit et obligatoire dès 1881–1882;

—le régime parlementaire devient un fait accompli—malgré les scandales et crises ministérielles—grâce à la solidité de l'Administration;

—l'expansion coloniale commencée en 1830 est complétée par la Troisième République en Afrique, en Asie et en Océanie et donne à la France un immense empire colonial, le deuxième du monde.

LA PREMIÈRE GUERRE MONDIALE

L'Allemagne—unifiée par Bismarck et jointe à la Prusse sous l'empereur Guillaume Ier en 1871—continue à s'agiter pour augmenter son prestige et ses possessions territoriales en Europe et en

Cette route était le seul moyen d'arriver à Verdun. Beaucoup sont morts pour qu'elle reste aux mains des Alliés. (*Holzapfel*).

Afrique. Après de nombreux incidents diplomatiques, le jeu des alliances a fini par mettre en présence deux groupes de nations:

1. La Triple-Alliance comprenant l'Allemagne avec la Prusse; l'Autriche-Hongrie avec ses satellites des Balkans: la Bulgarie et la Turquie; enfin l'Italie.

2. La France, l'Angleterre et la Russie (alliée à deux pays des Balkans, la Serbie et la Roumanie) formant l'Entente cordiale.

Le 18 juin 1914 l'archiduc François-Ferdinand, héritier de l'empereur d'Autriche, est assassiné. C'est la goutte d'eau qui fait déborder le vase: la guerre est déclenchée et les pays des deux blocs se déclarent mutuellement la guerre. L'Italie cependant a combattu du côté de l'Entente cordiale.

L'armée allemande envahit la Belgique le 3 août, passe en France et repousse l'armée franco-britannique (commandée par le général Joffre) jusqu'à la Marne, aux portes de Paris, où les Alliés se retranchent et finissent par arrêter les Allemands le 5 septembre 1914.

Dès lors commence la guerre des tranchées sur un front de 200 km où les armées en présence se bombardent jour et nuit, où elles font

Pendant l'offensive de 1918 les troupes américaines
ne sont pas restées inactives.

souvent des sorties sanglantes pour percer le front ennemi. Une des
plus grandes tueries de cette guerre a eu lieu autour de Verdun en
1916; elle a duré six mois, et des centaines de milliers d'hommes y
ont trouvé la mort.

Le début de l'année 1917 est terrible: les Alliés sont fatigués de la
guerre et sur le point de la perdre; la révolution éclate en Russie.
Mais les États-Unis déclarent la guerre à l'Allemagne et, malgré la
capitulation de la Russie au début de 1918, les Alliés—aidés en
hommes et en matériel par les Américains—finissent par faire
reculer les Allemands sur toute la longueur du front. Les membres
de la Triple-Alliance sont battus aussi en Italie et dans les Balkans
et, finalement, l'armistice est signé le 11 novembre 1918. Le traité de
Versailles a redonné l'Alsace et la Lorraine à la France.

DE 1918 À 1958

1. A la fin de cette guerre un million et demi de soldats français
avaient été tués et il y avait deux millions cinq cent mille blessés et
mutilés; le Nord et l'Est du pays étaient dévastés; la dette intérieure

Train du maréchal Foch où fut signé l'armistice.   Train des plénipotentiaires allemands.

EN FORÊT DE COMPIÈGNE : LE DÉCOR DE LA CAPITULATION ALLEMANDE

LA SIGNATURE DE L'ARMISTICE

Il nous est possible aujourd'hui de compléter notre documentation sur les conditions exactes de temps et de lieu, dans lesquelles a été discuté et signé l'armistice accordé à l'Allemagne.

Les plénipotentiaires allemands, arrivés en automobiles dans la nuit du 7 au 8 novembre à Tergnier, comme nous l'avons relaté dans le numéro du 16-23 novembre, avaient trouvé là un train spécial qui les conduisit directement au lieu désigné par le maréchal Foch. Ils ne logèrent pas, comme on l'a dit, au château du Francport, au Nord de l'Aisne, mais demeurèrent dans ce train, garé sur une voie construite pour l'artillerie lourde, dans cette pointe de la forêt de Compiègne qui remplit une boucle de l'Aisne, au Sud de la rivière, entre Choisy-au-Bac et Rethondes.

Sur une voie tente proche était garé le train du

Le capitaine Lhuillier, « le plus heureux des officiers de France » : c'est lui qui le premier, le soir du 7 novembre, reçut aux avant-postes français les plénipotentiaires allemands venant solliciter l'armistice.

maréchal Foch, comprenant la voiture de la Compagnie des Wagons-Lits n° 2.419 D, où le maréchal, l'amiral Wemyss et le général Weygand reçurent les plénipotentiaires. Le sol étant détrempé, un chemin de caillebotis réunissait les deux trains.

Dans cette voiture fut signée, le 11 novembre avant l'aube, la convention d'armistice que le maréchal Foch alla porter lui-même aussitôt à Paris, et que M. Clemenceau lut aux Chambres dans l'après-midi.

A côté des deux photographies du décor de la capitulation allemande, nous sommes heureux de pouvoir publier le portrait du jeune capitaine de chasseurs à pied Lhuillier, commandant p. i. le 1er bataillon du 171e d'infanterie, celui-là même qu'on voyait, dans le dessin de Georges Scott, publié la semaine dernière, arrêter à son avant-postes les parlementaires allemands : il reçut ainsi le premier l'aveu officiel de la défaite de l'armée ennemie.

Gén. Weygand.   Amiral Wemyss.   Maréchal Foch.

Le manuscrit original de la convention d'armistice, revêtu des signatures du maréchal Foch et de l'amiral Wemyss d'une part, de celles des plénipotentiaires allemands de l'autre, est dans la serviette du maréchal. *Photographie prise devant le wagon désormais historique où se fit la capitulation allemande, le matin du 11 novembre, au moment où le maréchal Foch allait partir pour Paris.*

Une page de la revue *L'Illustration* présentant la signature de l'armistice du 11 novembre 1918.

et extérieure était énorme. La France s'est cependant relevée assez rapidement malgré de grandes difficultés financières et des chutes continuelles de ministère.

A partir de 1931 la crise économique mondiale—qui avait commencé deux ans plus tôt aux États-Unis—s'est fait sentir en France. Les difficultes économiques et financières ont occasionné l'inflation et le chômage. Les électeurs qui votaient de plus en plus à gauche ont élu un gouvernement socialiste—le Front populaire—en 1936. La France était à la veille de la faillite. Les dévaluations du franc se sont succédées jusqu'en 1938. En politique, les Français étaient pacifistes et anti-militaristes.

2. Cependant, en Allemagne, Hitler avait pris le pouvoir depuis 1933; il avait redressé le pays et l'avait mis sur un pied de guerre. Puis, à partir de 1938, il a annexé successivement l'Autriche, les pays Sudètes et toute la Tchécoslovaquie. Il s'est ensuite tourné vers la Pologne. Les Anglais et les Français ont compris à ce moment-là que la guerre seule pouvait arrêter les revendications d'Hitler. L'armée allemande a envahi la Pologne le 1er septembre 1939, alors la France et la Grande Bretagne ont déclaré la guerre à l'Allemagne le 3 septembre. Les Alliés mobilisaient pendant que l'Allemagne occupait la Pologne et que la Russie, qui s'était mise de la partie, envahissait plusieurs pays au nord de l'Europe. En mai 1940, l'offensive allemande a commencé brusquement à l'ouest et les forces alliées, mal préparées et mal armées, ont été vite vaincues par la puissante armée allemande avec sa nouvelle méthode de guerre: le "blitzkrieg." La France a été occupée en grande partie; ses citoyens divisés entre le gouvernement collaborateur du maréchal Pétain à Vichy et celui du général de Gaulle à Londres.

Les Français se sont vite ressaisis et ils ont organisé la Résistance qui, après l'invasion de la Russie, a inclus des gens de tous les partis politiques, depuis le communisme jusqu'à l'extrême droite. Les

En Bretagne, des résistants viennent de recevoir des armes parachutées par les Alliés.

Le jour de la libération de Paris des tireurs isolés faisaient encore des victimes dans la foule.

forces françaises de l'extérieur se sont jointes aux armées alliées surtout en Afrique du Nord en 1942. Une armée française reconstituée en Afrique du Nord et commandée par le général Leclerc a débarqué en France avec les armées alliées et a fait une entrée triomphale à Paris la nuit du 24 au 25 août 1944. A la capitulation de l'Allemagne, le 7 mai 1945, la France sortait de la guerre affaiblie, meurtrie, mais libre de suivre sa propre destinée.

3. Après la libération de Paris en août 1944, le général de Gaulle est devenu le chef de l'État. Il a démissioné en janvier 1946 et une nouvelle constitution a été votée en octobre 1946. La Constitution de la Quatrième République n'a pas remédié à l'instabilité ministérielle de la Troisième République et l'esprit de parti est revenu. Malgré un relèvement assez rapide, la France s'est affaiblie de nouveau à cause des guerres de libération qui ont en lieu dans différentes colonies. L'Indochine est devenue indépendante en 1954, la Tunisie et le Maroc en 1956. La guerre d'Algérie s'est éternisée, et elle a fini par provoquer une crise ministérielle très grave. Alors, le général de Gaulle a été rappelé au pouvoir en mai 1958. Une nouvelle constitution, votée le 28 septembre 1958 (la seizième

depuis 1789!) a établi la Cinquième République, le gouvernement actuel de la France.

Charles de Gaulle a démissionné le 28 avril 1969, à l'issue d'un référendum demandant aux électeurs d'approuver certaines réformes pour le Sénat et présentant un programme de décentralisation. 53% des électeurs ont été opposés à ces changements. Monsieur Georges Pompidou a été élu Président pour succéder à Charles de Gaulle.

La Littérature

Presque toutes les tendances littéraires du XIXe siècle continuent à se développer au XXe et la France fournit au monde de nombreux écrivains de talent.

LE ROMAN ET LE THÉÂTRE

1. Paul Claudel (1868–1955) a été converti au catholicisme après avoir éprouvé l'illumination de la foi en 1886, et il est impossible de séparer le chrétien de l'écrivain dans son œuvre. Ses meilleures pièces de théâtre ont des proportions épiques: *L'Annonce faite à Marie* (1912) où il évoque le mysticisme de la fin du Moyen Age et *Le Soulier de Satin* (1943) où le héros, possédé tantôt par la passion

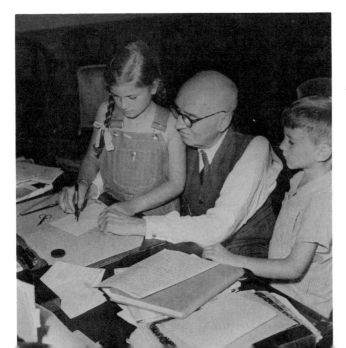

Paul Claudel faisant faire leurs devoirs à ses petits-enfants.

Depuis l'antiquité, poètes
et écrivains ont été
obsédés par la fuite du
temps. Marcel Proust a
ajouté à ce thème en
montrant le rôle du
subconscient dans la
résurrection du passé.

André Gide.

de la gloire, tantôt par l'amour d'une femme, finit par ne plus
penser qu'à la Vie Éternelle. C'est également un poète dont le chef-
d'œuvre poétique est *Cinq Grandes Odes.*

2. André Gide (1869–1951) est un romancier au style classique
mais à la philosophie toute moderne qui a renouvelé le roman
psychologique par la hardiesse et par la profondeur de ses analyses.
Comme Montaigne, il s'est souvent pris pour sujet de ses enquêtes
et, comme lui, il pense que l'homme est un être essentiellement
divers. Ses meilleurs romans sont *Les Nourritures terrestres* (1897)
à la prose toute lyrique; *L'Immoraliste* (1902), récit autobiographique; *La Symphonie pastorale* (1919) où un ministre protestant
lutte avec désespoir contre ses tentations. Gide a reçu le prix Nobel
en 1947.

3. Marcel Proust (1871–1922), malade, s'éloigne du monde et
écrit un des plus grands romans du siècle, *A la Recherche du Temps
perdu* (1913–1928), qui comprend une quinzaine de volumes dont
plusieurs sont posthumes. Il y transpose les multiples aspects de son
expérience; il y exprime le rôle du subconscient, l'importance du
passé sur la vie présente, et la possibilité de retrouver ce passé par
un effort de volonté. Sa phrase est longue, sinueuse, remplie de
métaphores et d'images. Le style compliqué de Proust rend la lecture
de ses œuvres assez difficile.

Henry de Montherlant

Comme chez Racine, les
forces du destin pèsent sur
les personnages de Jean
Giraudoux.

André Malraux.

4. Jean Giraudoux (1882–1944) crée au théâtre une humanité idéale, il peint des idées éternelles et cherche à éveiller la réflexion. Son langage est très imagé, poétique, musical et spirituel. Quelques-unes de ses pièces sont *Amphitryon* 38 (1929), *Électre* (1937), *La Folle de Chaillot* (créée en 1945).

5. Parmi les auteurs de l'école "populiste" qui peint les petites gens sans tomber dans les excès de l'école naturaliste, il faut noter le docteur Destouches, dit Louis-Ferdinand Céline (1894–1961) qui fait pressentir la littérature contemporaine de l'angoisse et de la révolte. Cet auteur, très pessimiste, s'attaque âprement à la société moderne dans un style parfois très grossier. Son chef-d'œuvre *Voyage au bout de la nuit* (1932) a eu un succès énorme.

6. Les trois auteurs suivants—loin de se laisser aller au désespoir devant l'inanité de la vie, comme tant d'écrivains modernes—décrivent une humanité héroïque, dans la tradition de Corneille, et ils montrent que la grandeur de l'homme dépend de sa propre énergie:

(a) Henry de Montherlant (né en 1896) a écrit des romans comme *Les Célibataires* (1934), mais c'est surtout dans le théâtre qu'il s'impose. Il a écrit, entre autres, *La Reine morte* (1942) et *Le Maître de Santiago* (1947).

(b) André Malraux (né en 1901), romancier agnostique, d'abord porté vers l'idéologie révolutionnaire, s'en détourne plus tard.

Antoine de Saint-Exupéry

Jean-Paul Sartre

Albert Camus

Jean Anouilh

"Engagé" dans les tragédies du monde moderne, il repose sa philosophie sur le courage et la fraternité (une fraternité vécue par l'auteur lui-même) dans des romans tels que *La Condition humaine* (1933) et *L'Espoir* (1937). Il s'est d'autre part fait une place importante dans le monde artistique en tant que critique d'art et il est devenu ministre des Affaires culturelles sous la présidence du général de Gaulle.

(c) Antoine de Saint-Exupéry (1900–1944) était aviateur et, comme Malraux, il a rapporté ses expériences dans ses romans tels que *Vol de nuit* (1931), *Terre des hommes* (1939) et *Pilote de guerre* (1942). Il y exalte l'héroïsme des hommes qui, par la puissance de leur volonté, acceptent leur responsabilité devant le but à atteindre ou la tâche à accomplir. Le délicieux *Petit Prince*, qui a paru en France en 1945, après la mort de l'auteur, présente à merveille les dons de poète de ce dernier.

7. Jean-Paul Sartre (né en 1905) est le chef de l'existentialisme français (voir plus loin la rubrique "La Philosophie.") Écrivain très prolifique, il expose sa philosophie non seulement dans des essais et manifestes mais aussi dans des romans et surtout des pièces de théâtre. Ses meilleures œuvres sont :

(a) *La Nausée* (1938), un roman dans lequel le héros éprouve la nausée devant l'existence, devant l'absurdité de la vie.

(b) *Les Mouches* (1943), *Huis clos* (1944)—qui est un chef-d'œuvre d'intensité dramatique—*Les Mains sales* (1948), *Le Diable et le Bon Dieu* (1951)—qui a pour thème la solitude de l'homme, seul maître de son destin, dans un univers sans Dieu—sont des pièces de théâtre qui illustrent sa philosophie.

8. Comme Sartre et ses contemporains, Albert Camus (1913–1960) trouve la vie absurde. Il examine le problème de l'homme et cherche une morale convenable à l'époque moderne. Il se sert de symboles très clairs pour illustrer sa philosophie ; son style est sobre et puissant, et ses récits ont généralement une composition classique. Il a reçu le prix Nobel de littérature en 1957. Ses meilleures œuvres sont des romans tels que *L'Étranger* (1942), *La Peste* (1947) et *La Chute* (1956). Deux de ses pièces de théâtre sont *Caligula* (1944) et *Le Malentendu* (1945).

9. Il faut encore mentionner au théâtre Jean Anouilh (né en 1910). Pessimiste malgré son génie comique et sa fantaisie, il se révolte contre tout ce qui ternit la pureté de l'homme. *Antigone* (1944) est une de ses meilleures pièces.

LA POÉSIE

1. Un des plus grands poètes français du siècle et un des plus intellectuels, Paul Valéry (1871–1945) est assez difficile à comprendre à cause de la concision de ses symboles et de la densité de ses images. Il a cherché à traduire les désirs secrets de l'être et les

mouvements de l'âme. Deux de ses chefs-d'œuvre sont *La Jeune Parque* (1917) et *Le Cimetière marin* (1920).

2. Au lendemain de la Première Guerre Mondiale, les artistes— aussi bien peintres et musiciens que poètes—sont profondément touchés par les questions sociales, psycholoigques et morales que cette guerre a fait naître. C'est ainsi que commence le mouvement surréaliste par lequel les artistes qui croient à l'existence d'une réalité supérieure, une "surréalité," cherchent "la vraie vie," selon André Breton le chef du mouvement, et proposent de nouvelles façons de s'exprimer. Certains même, comme Louis Aragon et Paul Éluard, se dirigent vers l'engagement et le communisme.

Les poètes surréalistes pensent que l'activité poétique est un moyen de reconquérir la liberté perdue en explorant l'inconnu, l'insolite, le subconscient. Ce sont d'abord des révoltés qui écartent toute tentation d'exprimer des idées, qui veulent simplement trans- crire, sans ordre, sans contrainte, toutes les pensées qui effleurent la conscience, ce qu'ils appellent "l'automatisme psychique." Un de leurs procédés favoris est de se servir de l'écriture automatique. Cependant, plus tard, les poètes authentiques, lorsqu'ils ressentent

Paul Valéry, le plus intellectuel des poètes français modernes.

Chef de file du Surréalisme, André Breton a toujours défendu les principes et les aspirations du mouvement.

Paul Éluard est un poète-né, aux thèmes simples.

une émotion personnelle, ou même collective, reviennent à des expressions plus traditionnelles.

(a) André Breton (né en 1896), le chef du mouvement surréaliste, a écrit deux *Manifeste du Surréalisme* (1924 et 1930) ainsi que *Position politique du Surréalisme* (1935) où il lutte contre les tendances communistes de certains confrères. Son œuvre la plus marquante est sans doute un récit vécu, *Nadja* (1928); deux autres œuvres intéressantes se nomment *Vases communicants* (1932) et *L'Amour fou* (1937).

(b) Paul Éluard (1895–1952)—dont les poèmes illustrent à merveille l'attitude surréaliste en mélangeant le rêve et la réalité—est un poète aux thèmes sans prétentions. Il a chanté les joies de l'amour, le bonheur et les misères de l'homme dans *Capitale de la Douleur* (1926), *La Rose publique* (1934), *Le Livre ouvert* (1942), *Poésie et Vérité* (1942–1943).

(c) Le poète de la Résistance, Louis Aragon (né en 1897), a commencé comme surréaliste mais, pendant la dernière guerre, il est revenu à une poésie concrète où il montre son amour pour sa femme et sa patrie. Ses principaux recueils de poésies sont *Feu de Joie* (1920), *Le Crève-Coeur* (1941), *Cantique à Elsa* (1941), *Le Musée Grévin* (1943) et *Je te salue, ma France* (1944).

LA NOUVELLE LITTÉRATURE

Depuis quelques années, on trouve un nouveau mouvement chez certains écrivains qui se rebellent contre les anciennes méthodes psychologiques et qui cherchent, chacun à sa façon, la vérité artistique. Les œuvres sont qualifiées d'"anti-roman" ou d'"anti-théâtre," et leurs auteurs cherchent souvent à exprimer l'absurdité de la vie par des moyens nouveaux, surprenants.

1. L'Anti-Roman

(a) Alain Robbe-Grillet (né en 1922) semble être le chef de file de cette nouvelle école. Le principal personnage de ses romans est invisible, mais c'est lui qui voit tout et qui décrit ce qui se passe avec soin, en unissant présent, passé, émotions, souvenirs, réalité, irréel, dans des scènes qui sont répétées avec de légères modifications. Deux de ses romans sont *La Jalousie* et *Dans le labyrinthe*.

(b) Nathalie Sarraute est née en Russie en 1902, mais elle est venue toute jeune en France. Son premier livre, *Tropismes* (1939),

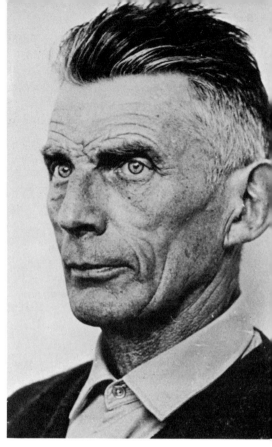

Samuel Beckett, bilingue, écrit ses œuvres en anglais et en français.

Eugène Ionesco, surnommé "le clown triste", a étonné beaucoup de gens en entrant à l'Académie française.

utilise aussi l'invisible observateur qui décrit les plus éphémères sensations, émotions et pensées qui arrivent à la surface de notre inconscience et qui soulignent tous nos actes et conversations. Elle a écrit *Portrait d'un inconnu* (1947) et *Le Planétarium* (1959).

 2. Le Théâtre de l'Absurde

  (a) Eugène Ionesco, né en Roumanie en 1912, est venu en 1938 à Paris où il réside depuis. Son théâtre tourne en farce les tragédies de notre époque. L'absurdité du langage, qui isole encore plus l'individu de ses semblables, forme la trame de ses intrigues. *La Leçon* et *La Cantatrice chauve* sont des pièces célèbres.

(b) Samuel Beckett (né en 1906) montre l'absurdité de la vie dans sa pièce *En attendant Godot*. Les protagonistes attendent, on ne sait trop qui ou quoi; ils se répètent constamment, font toujours les mêmes gestes et finalement ils attendent toujours! Il a reçu le prix Nobel de littérature en 1969.

La Philosophie

Depuis la libération—à la fin de la Deuxième Guerre Mondiale— "l'Existentialisme" domine la pensée française. Cette philosophie met l'accent sur "l'existence," beaucoup plus importante que "l'essence" qui est une illusion car, d'après Sartre, "l'existence précède l'essence." Les existentialistes français doivent beaucoup aux philosophes allemands Heideger, Jaspers, Husserl et surtout au danois Kierkegaard auteur du *Traité du désespoir* (1849).

Il y a plusieurs formes d'existentialisme. Certains comme Gabriel Marcel ont essayé d'établir un existentialisme "chrétien," alors que d'autres, dont Maurice Merleau-Ponty (1908–1961) professeur d'existentialisme à la Sorbonne et au Collège de France, ont élaboré une doctrine moins angoissante que celle de Sartre. Cependant, celui-ci est toujours considéré comme le chef du mouvement.

Philosophe athée, Sartre pense que l'homme est seul sur terre et qu'il est ainsi libre de faire tout ce qu'il veut puisque l'idée de Bien et de Mal n'existe pas; cependant, pour que cette liberté profite à l'homme, il faut qu'il "s'engage," qu'il agisse et surtout qu'il accepte la responsabilité entière de ses actes. Ainsi, l'expérience de l'absurde, c'est-à-dire de "l'existence" doit être dépassée et doit tendre vers "l'être" grâce à la création ou à l'action. Sartre s'est lui-même "engagé" dans l'action politique, épousant certaines idées marxistes sans pour celà être d'accord avec les communistes. La philosophie sartrienne donne souvent naissance à l'angoisse et au désespoir puisqu'elle présente la vie, les êtres et les choses comme étant dépourvus de sens et qu'elle force l'homme à s'engager dans

Henri Matisse au travail. (*Lido*).

Le Jour, par Georges Braque, l'un des meilleurs peintres cubistes.

l'action sans lui dire comment ni pourquoi. Les principaux écrits philosophiques de Sartre sont *L'Etre et le Néant* (1943), *L'Existentialisme est un humanisme* (1946), et *Critique de la raison dialectique* (1960).

Les Arts

LA PEINTURE

La peinture française au XXe siècle est très variée car chaque artiste s'exprime librement suivant son tempérament.

1. Les "Fauves" emploient des couleurs très vives pour exprimer leurs sentiments intérieurs et leurs toiles sont très décoratives. Par exemple, Henri Matisse (1869–1954) est un coloriste extraordinaire, au sens décoratif très élevé comme on peut le voir dans des toiles telles que *La Danse, Odalisque* et *La Dame en bleu.* Cependant, l'ensemble des décorations, tableaux et vitraux qu'il a exécuté à la chapelle de Vence est considéré comme son chef-d'œuvre.

2. Les cubistes influencés par Cézanne, cherchent à recomposer la réalité sous des formes abstraites. Georges Braque (1882–1963) a

L'imagination de Marc Chagall lui fait peindre des œuvres remarquables.

réduit ses paysages à des formes géométriques dans des œuvres comme *La Plage à Dieppe, L'Homme à la Guitare, Atelier VIII* et *Nature morte—Le Jour.*

3. Le surréalisme en peinture essaie de reproduire et d'exprimer le monde du rêve, de l'inconscient. Les principaux représentants sont nés à l'étranger, mais ils vivent généralement à Paris: Marc Chagall, né en Russie en 1889, est le peintre du rêve et de l'amour (*Les Trois Cierges*).

4. Pablo Picasso est d'origine espagnole, étant né à Malaga en 1881, mais il vit en France depuis sa jeunesse de sorte qu'il est

Famille de saltimbanques, par Picasso.

considéré comme peintre de l'École de Paris. Il a tout tenté avec succès: le cubisme (*Les Trois Musiciens*); le réalisme (*Lola, La Femme en bleu, Les Saltimbanques*); des abstractions de tous genres (*Jeune Fille devant un Miroir*). Son chef-d'œuvre est *Guernica*.

Jean Lurçat a donné un nouvel essor à la tapisserie.

LA TAPISSERIE

Cette forme artistique jouit d'un renouveau remarquable grâce au peintre Jean Lurçat qui a remis la manufacture d'Aubusson sur pied. Ses œuvres sont pleines de symboles comme on peut le voir dans *Es la Verdad* ou *L'Apocalypse*. D'autres artistes tels que Matisse, Léger et Cocteau ont contribué à cette renaissance.

LA MUSIQUE

Bien que nés et ayant vécu et travaillé en partie au XIXe siècle, les compositeurs suivants, par leurs nouvelles conceptions musicales, appartiennent surtout au XXe siècle:

1. Claude Debussy (1862–1918) est peut–être le plus grand compositeur français. Il a été influencé par les impressionnistes et

les symbolistes. Il a uni consonances et dissonnances pour créer des sonorités neuves. Il a trouvé des harmonies nouvelles pour interpréter les impressions et les symboles des poètes de l'époque, par exemple son *Prélude à l'Après-midi d'un Faune* met en musique un poème de Mallarmé. Mais c'est surtout avec son opéra *Pelléas et Mélisande* (1902), d'après un drame de Maeterlinck, qu'il a révolutionné la musique dramatique. Il a écrit des morceaux pour orchestre comme le prélude ci-dessus, *La Mer, Nuages*; des chansons sur des poèmes de Baudelaire, Verlaine, Mallarmé, Villon; des morceaux pour piano comme *Jardins sous la pluie, Reflets dans l'eau, Masques*.

2. Maurice Ravel (1875–1937) est un maître de l'orchestration, ce que prouvent des œuvres comme *Rhapsodie espagnole, La Valse* et surtout *Boléro*, où il produit un effet hypnotique en répétant, d'un bout à l'autre du morceau, la même phrase musicale avec des changements imperceptibles. Il a aussi beaucoup écrit pour le piano: *Pavane pour une infante défunte*.

3. Au moment du surréalisme, entre 1910 et 1920, les compositeurs ont cherché leur voie dans des œuvres aux tonalités et aux rythmes nouveaux. Plusieurs musiciens se sont groupés autour d'Érik Satie pour former le Groupe des Six; ils ont déclaré qu'ils voulaient se libérer des tendances précédentes et utiliser des techniques nouvelles. Trois des compositeurs de ce groupe, qui se sont développés dans des sens différents, sont les meilleurs:

(a) Arthur Honneger (1892–1955), dans ses opéras *Le Roi David* (1921), *Jeanne au Bûcher* (1935), et dans ses symphonies, montre une grande hardiesse et un sens dramatique élevé.

Arthur Honneger.
(*Lipnitzki*).

Francis Poulenc.

(b) Darius Milhaud (né en 1892) a composé dans tous les styles. Il a surtout écrit de la musique de chambre et un opéra *Christophe Colomb*.

(c) La musique de Francis Poulenc (1899–1963) est très mélodieuse, souvent spirituelle. Il a mis en musique des poèmes d'Éluard et d'Apollinaire. Il a composé des ballets, un opéra, *Le Dialogue des Carmélites* et de la musique religieuse.

LE CINÉMA

Art majeur du XXe siècle, le cinéma français a fait des pas de géant depuis les projections animées des frères Lumière en 1895. Continuellement à la recherche de formules nouvelles, utilisant la lumière, l'image et le mouvement pour provoquer l'émotion, les metteurs en scène, secondés par des acteurs de talent, ont fait du cinéma le "septième art."

Parmi les meilleurs cinéastes on peut citer Abel Gance, qui a le premier utilisé le triple écran pour son magnifique *Napoléon* (1927); René Clair (*Le Million, A nous la liberté*); Jean Renoir, fils du peintre (*La Grande illusion, La Bête humaine*); Marcel Carné (*Quai des brumes, Les Enfants du paradis*); Alain Resnais (*Hiroshima mon amour, L'Année dernière à Marienbad*); Jean-Luc Goddard (*A Bout de souffle, Pierrot le fou*); Jacques Demy (*Les Parapluies de Cherbourg*); Claude Lelouch (*Un Homme et une femme*).

Des acteurs comme Maurice Chevalier, Jean Gabin, Gérard Philippe, Jean Marais, Brigitte Bardot, chacun dans son genre, ont contribué également à donner au cinéma français la place de premier ordre qu'il occupe aujourd'hui dans le monde.

Jean Renoir est le fils du célèbre peintre Auguste Renoir. Il fut un des premiers cinéastes à utiliser les techniques de la télévision. On le voit ici pendant le tournage de son "Déjeuner sur l'herbe".

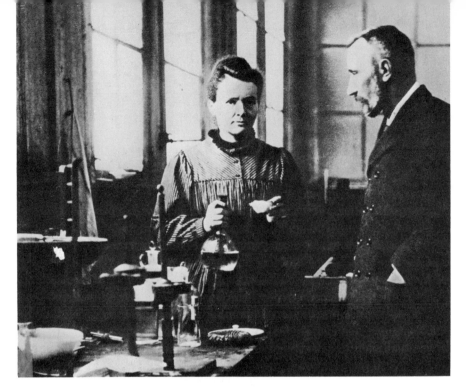

Pierre et Marie Curie dans leur laboratoire.

Les Sciences

LES DÉCOUVERTES SCIENTIFIQUES

Dans les sciences physiques, la France a eu des savants de valeur.

1. Henri Becquerel (1852–1908), fils et petit-fils de physiciens, a découvert les propriétés radioactives de l'uranium.

2. En collaboration avec son mari Pierre (1859–1906), Marie Curie (1867–1934), originaire de Pologne, a découvert une nouvelle substance radioactive qu'elle a nommé polonium. Après la mort accidentelle de son mari, elle a continué ses recherches et, en 1910, en collaboration avec Debierne, elle a réussi à isoler le radium. Madame Curie a reçu le prix Nobel deux fois et c'est la première femme qui a été professeur à la Sorbonne.

3. Jean Perrin (1870–1942), membre de l'Académie des Sciences, a prouvé l'existence de l'électron, déterminant que c'est une particule ayant une masse et possédant une charge électrique.

Le professeur Kastler, prix Nobel. (*Amson*).

4. Irène Curie (fille de Pierre et de Marie) et son mari, Frédéric Joliot, ont fait d'importantes découvertes sur la structure de l'atome.

5. Le mathématicien Henri Poincaré (1854–1912) a fait des recherches importantes sur les équations différentielles.

6. Le prince Louis de Broglie (né en 1892) est un des fondateurs de la mécanique moderne; par ses études sur la lumière il a découvert les bases de la mécanique ondulatoire. Ses découvertes ont mené à l'invention du microscope électronique.

7. Le savant Alfred Kastler (né en 1902) a reçu le prix Nobel en 1966 pour ses travaux qui ont permis la découverte des rayons Laser.

En 1901 l'État a créé le Centre National de Recherches Scientifiques devenu vraiment actif à partir de 1945. Il coordonne les recherches des laboratoires, aussi bien des laboratoires privés que ceux de l'État (Bellevue, Gif, Marseille, etc.); il leur procure du personnel; il finance la publication de revues scientifiques et des voyages de recherche. Le C.N.R.S. a établi un télescope électronique à l'observatoire de Saint-Michel dans les Alpes et un convertisseur électronique qui permet des photographies d'astres en quelques minutes, tandis qu'il faut des heures avec les télescopes ordinaires.

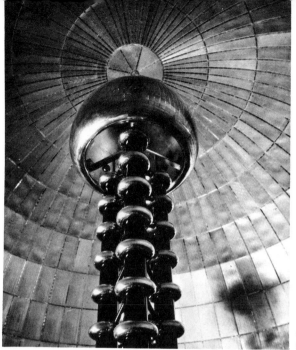

Une partie du microscope électronique du C.N.R.S. (*ALFF*).

LES DÉCOUVERTES MÉDICALES

1. Poursuivant les recherches de Pasteur sur les microbes, le docteur Pierre Roux (1853–1933) a découvert le vaccin contre la diphtérie; et les docteurs Charles Albert Calmette (1863–1933) et Camille Guérin (1872–1961) ont trouvé le vaccin contre la tuberculose. Le Dr. Calmette a aussi fait des recherches sur la peste bubonique et les morsures de serpents.

2. Le docteur Alexis Carrel (1873–1944), qui a reçu le prix Nobel en 1912, a fait des découvertes sur les tissus cellulaires.

3. En 1965, le prix Nobel de médecine a été décerné aux docteurs français André Levoff, Jacques Monod, et François Jacob pour leurs découvertes en biologie, importantes pour les études sur le cancer.

Questions

L'HISTOIRE

1. Quelle est la devise de la Troisième République? Quelles sont les réformes effectuées pendant la Troisième République?
2. Quels sont les deux groupes de nations en présence à la veille de la Première Guerre Mondiale?
3. Que s'est-il passé le 18 juin 1914? Quel en a été le résultat? Qu'a fait l'armée allemande? Où a-t-elle été arrêtée?

4. Parlez de la guerre des tranchées.
5. Que se passe-t-il en 1917 et en 1918?
6. Qu'est-ce que le traité de Versailles redonne à la France? Quand avait-elle perdu ces provinces?
7. Quel est la résultat de la guerre pour la France?
8. Que se passe-t-il en France entre 1931 et 1938?
9. Qui arrive au pouvoir en Allemagne en 1933? Que fait-il en Allemagne et en Europe?
10. Qu'est-il arrivé en 1939? Quel en a été le résultat?
11. Quelle est la nouvelle méthode de guerre des Allemands? Est-elle efficace?
12. Que s'est-il passé en France pendant la Deuxième Guerre Mondiale?
13. Qui est devenu chef de l'tÉat après la guerre? Est-il resté?
14. Le gouvernement de la Quatrième République a-t-il été meilleur que celui de la Troisième? Pourquoi?
15. Parlez du gouvernement actuel de la France.

LA LITTÉRATURE ET LA PHILOSOPHIE
1. Qu'y a-t-il d'intéressant au sujet de Paul Claudel?
2. Que savez-vous d'André Gide?
3. Quelle est l'œuvre de Marcel Proust? Qu'est-ce qu'il y exprime?
4. Dans quel genre Jean Giraudoux a-t-il écrit? Qu'est-ce qu'il y représente? Comment est son langage? Nommez ses meilleures pièces.
5. Que font les auteurs de l'école populiste? Nommez un de ses membres et son chef-d'œuvre. Comment écrit-il?
6. Qui sont les représentants de la tradition cornélienne au XXᵉ siècle? Expliquez la philosophie de chacun d'eux.
7. Qui est le chef de l'existentialisme français? Quel est le titre et le thème de son meilleur roman? Quelles sont ses meilleures pièces de théâtre et leurs thèmes?
8. Un autre écrivain français trouve la vie absurde. Comment s'appelle-t-il? Comment illustre-t-il sa philosophie?
9. Parlez du théâtre de Jean Anouilh.
10. Pourquoi Paul Valéry est-il difficile à comprendre? Qu'est-ce qu'il a cherché à faire? Nommez deux de ses chefs-d'œuvre.
11. Quelles sont les caractéristiques de la poésie surréaliste?
12. Parlez des principaux poètes surréalistes et de leurs œuvres.
13. Que font les écrivains de la nouvelle littérature? Que cherchent-ils à exprimer?
14. Que savez-vous d'Alain Robbe-Grillet? Et de Nathalie Sarraute?
15. Qu'est-ce que le théâtre de l'absurde? Nommez deux auteurs de ce théâtre et parlez de leurs pièces.
16. Qu'est-ce que l'Existentialisme? A qui les Français en doivent-ils les principaux éléments?
17. Quelles sont les différentes formes de cette philosophie?
18. Expliquez l'existentialisme sartrien.

1. Quelles sont les différentes écoles de peinture?
2. Comment les peintres de ces écoles peignent-ils? Nommez des œuvres de chacun de ces peintres.
3. Quels sont les différents genres de Picasso? Et ses œuvres?
4. Que se passe-t-il en tapisserie?
5. Qui est Claude Debussy? Qu'a-t-il fait de nouveau en musique? Nommez plusieurs de ses œuvres.
6. Pourquoi Maurice Ravel est-il un compositeur important?
7. Qu'est-ce que le Groupe des Six? Qui sont les meilleurs de ces compositeurs? Qu'ont-ils composé?
8. Comment appelle-t-on le cinéma? Pourquoi l'appelle-t-on ainsi?
9. Qui a le premier utilisé le triple écran? Dans quel film?
10. Nommez les meilleurs cinéastes français et leurs films.
11. Quels sont vos acteurs français favoris?
12. Le cinéma français est-il goûté à l'étranger? Qu'en pensez-vous personnellement?

LES SCIENCES
1. Qui est Henri Becquerel? Qu'a-t-il découvert?
2. Parlez de Pierre et de Marie Curie.
3. Quelles sont les découvertes d'Irène Curie et Frédéric Joliot?
4. Nommez d'autres savants français et dites quelles sont leurs découvertes.
5. Le gouvernement français aide-t-il les savants? Comment?
6. Quelles sont les découvertes médicales qui continuent l'œuvre de Pasteur?
7. Qu'est-ce qu'Alexis Carrel a découvert?
8. Qui a reçu le prix Nobel de médecine en 1965? Pourquoi?

Sujets de Composition Française

1. Retracez les principales invasions étrangères et dites comment elles ont changé le cours de l'histoire de France.
2. Quelles sont les théories existentialistes de Sartre? Êtes-vous d'accord avec cette philosophie?
3. Racontez l'histoire d'un des films français que vous avez vu. Qu'en pensez-vous?
4. De toutes les découvertes et inventions françaises indiquées dans ce chapitre et les précédents laquelle est la plus importante ou la plus utile à votre avis? Pourquoi?

DEUXIÈME PARTIE

Aujourd'hui

CARTE PHYSIQUE DE LA FRANCE

Chapitre 10

La Géographie de la France

LA FRANCE est située à l'extrémité ouest de l'Europe, dans une zone tempérée. C'est un des plus grands pays d'Europe dont la superficie correspond à peu près à celle du Texas.

Au point de vue géographique, ce qui caractérise le plus le pays, c'est la variété due au relief, au climat et aux ressources du sol.

Les Frontières

La France est bordée de frontières naturelles sur cinq côtés (elle a six côtés comme un hexagone):

1. Au nord, la Mer du Nord et la Manche, la séparent de l'Angleterre.

2. A l'ouest, elle est baignée par l'Océan Atlantique.

3. Au sud-ouest, la chaîne des Pyrénées forme comme un rempart entre la France et l'Espagne.

4. La mer Méditerranée—la "mare nostrum" des Romains—est située au sud.

5. Au sud-est, la France est séparée de l'Italie par la magnifique chaîne des Alpes. A l'est, le Jura borde la Suisse, et le Rhin constitue la frontière avec l'Allemagne.

La seule frontière politique se trouve au nord-est, entre la France et la Belgique. Elle se trouve dans une plaine, la Flandre, et aucun accident de terrain ne forme une véritable barrière entre les deux pays.

La Géographie Physique

La France a un relief très varié qui comprend des plaines, des collines, des plateaux, des montagnes plus ou moins vieilles, et des vallées le long des fleuves.

LES PRINCIPALES CHAÎNES DE MONTAGNES

Elles ont toutes un caractère différent qui dépend de leur âge géologique et de la façon dont l'écorce terrestre s'est plissée au moment de leur naissance.

1. Les Pyrénées et les Alpes sont des montagnes relativement jeunes, par conséquent leurs pics sont très élevés et ils ont des sommets découpés en pointe d'aiguille: l'aiguille du Midi dans les Alpes ou le pic du Midi dans les Pyrénées. Cependant, les Pyrénées ne ressemblent pas du tout aux Alpes. Les premières forment un mur très élevé, presque infranchissable, entre la France et l'Espagne, sur toute leur longueur comme au cirque de Gavarnie. Les cols sont très élevés et il n'y a pour ainsi dire pas de routes pour traverser la chaîne, sauf aux extrémités. Par contre, les Alpes sont percées de vallées profondes et les principaux cols, comme ceux du Petit-Saint-Bernard ou du Mont-Cenis, sont à une altitude relativement basse.

La plus haute montagne d'Europe, le Mont Blanc (4.807 mètres d'altitude), se trouve dans les Alpes près du croisement des frontières entre l'Italie, la Suisse et la France. Il est couvert de neiges éternelles qui alimentent plusieurs glaciers comme la Mer de Glace.

2. Le Jura—formé par contrecoup lorsque les Alpes se sont soulevées—comprend des chaînes parallèles séparées par des vallées qui les suivent latéralement. Ces montagnes sont beaucoup moins élevées que les Alpes. Elles sont couvertes de belles forêts et de vignobles.

3. Au nord du Jura et à l'ouest du Rhin, il y a de vieilles montagnes peu élevées, aux sommets généralement arrondis: les Vosges.

Un paysage des Pyrénées.

Le Puy: paysage
d'Auvergne.

On y voit de nombreux lacs témoins d'anciens glaciers. Le lac de
Gérardmer est un des plus beaux.

4. Le centre de la France comprend un énorme plateau—"le toit
de la France"—couvert de plusieurs chaînes de montagnes: c'est le
Massif Central. Certaines de ces montagnes, situées en Auvergne,
sont d'anciens volcans éteints, appelés puy: le puy de Sancy. C'est
au sommet du puy de Dôme que Pascal a fait ses expériences sur
la pesanteur de l'air.

Grâce à son relief accidenté et à la nature de son sol, la France est sillonnée de fleuves et de rivières sur tout son territoire. (Les fleuves se jettent dans une mer ou un océan, alors que les rivières se jettent dans un fleuve ou une autre rivière.)

Il y a cinq fleuves importants qui ont des caractéristiques très variées:

1. La Seine est un fleuve navigable parce qu'elle est calme, ainsi que ses affluents dont les plus importants sont la Marne et l'Oise. Elle a un cours lent et sinueux parce que sa source est à très faible altitude. Son embouchure est dans la Manche.

2. La Loire est le plus long des fleuves français. Elle a un cours irrégulier: en été elle est presque à sec, tandis qu'au printemps elle déborde souvent. Elle prend sa source dans le Massif Central et se jette dans l'océan Atlantique.

3. Née en haute altitude dans les Pyrénées, la Garonne descend comme un torrent vers la plaine où son cours reste rapide. Au printemps elle sort souvent de son lit et inonde les régions qu'elle arrose mais, venant de montagnes très élevées, son volume d'eau ne diminue pas comme celui de la Loire en été. Avec la Dordogne elle forme un estuaire large et profond, la Gironde qui se déverse dans l'océan Atlantique.

4. Le Rhône naît dans le massif du Saint-Gothard en Suisse et traverse le lac de Genève avant d'entrer en France. Il continue à couler vers l'ouest jusqu'à son confluent avec la Saône. A cet endroit, il change de direction et part vers le sud pour se jeter dans la mer Méditerranée. Venu de régions en haute altitude, son cours reste très rapide sur toute son étendue. De plus, il transporte une grande quantité de matières végétales et minérales qu'il dépose en un delta à son embouchure.

5. Le dernier fleuve, le Rhin, naît aussi dans le massif du Saint-Gothard, mais il se dirige vers le nord et il a son estuaire dans la mer du Nord en Hollande. Son cours se trouve surtout en Allemagne, mais il borde la France à l'est. Il est important comme grande voie de communication internationale.

Les cours d'eau sont une des richesses de la France, non seulement parce qu'ils contribuent à la fertilité du pays, mais parce que ce sont des voies de transport moins coûteuses que les voies ferrées ou la route. Pour certaines marchandises lourdes, leur coût peu

Un des nombreux canaux de France.

élevé compense largement leur lenteur. La France a aussi construit de nombreux canaux qui relient les principaux cours d'eau ou bien qui doublent certains de ceux qui ne sont pas navigables, si bien que l'on peut voyager par bateau dans presque toute la France.

Les bateaux qui font le transport fluvial s'appellent des péniches. Plusieurs de ces péniches attachées les unes aux autres forment un "train de péniches" qui est généralement tiré par un remorqueur.

1. Réchauffées par le Gulf Stream, les côtes de l'Atlantique, de la Manche et de la mer du Nord ont un climat tempéré, plus chaud que celui des côtes de l'Atlantique en Amérique à la même latitude. Les hivers sont doux, les étés frais. Il y pleut en toutes saisons des pluies fines et abondantes.

2. A l'intérieur, les hivers sont plus froids, les étés plus chauds et les pluies plus abondantes, mais il neige peu.

3. Dans les montagnes, les écarts de température entre les saisons sont encore plus grands que dans les provinces de l'intérieur. Les hivers sont longs et durs; il y neige beaucoup, même en été en altitude.

4. Les régions qui bordent la Méditerranée ont un climat semblable à celui de la Californie du Sud, bien qu'il y fasse plus chaud en été, mais c'est une chaleur sèche. Les hivers sont doux et agréables. Il n'y pleut pas souvent.

La Géographie Economique

La France est un pays aux ressources multiples, aussi bien agricoles qu'industrielles. Elle a toujours été un pays agricole parce qu'une grande partie de sa surface est couverte de terrains fertiles. Depuis le début de la période industrielle sa population est surtout concentrée dans les centres urbains, mais il y a encore environ 35% de ses habitants qui vivent à la campagne.

L'AGRICULTURE

Du fait que le pays a été fortement morcelé au moment de la Révolution, la population agricole comprend de grands propriétaires qui dirigent leur affaire comme une entreprise industrielle; de petits propriétaires qui font valoir leur terre en famille; des fermiers qui cultivent des terres qu'ils louent aux propriétaires; et des métayers qui partagent le fruit de leur travail avec le fermier.

Depuis plusieurs années le gouvernement a adopté une politique rurale de regroupement des petites parcelles de terre, ce qui permet d'employer des méthodes de culture modernes. Ainsi il y a, en

Le passé et le présent: les chevaux et les tracteurs.

particulier dans le Nord et dans la région parisienne, de grandes exploitations agricoles qui utilisent les machines et les techniques les plus nouvelles.

1. Les Cultures. La production agricole de la France a augmenté de 25% depuis la dernière guerre mondiale et elle fournit maintenant plus de 30% de toute la production européenne. Les cultures sont très variées à cause des différences de climat, de terrain et des conditions humaines et historiques. Les cultures principales sont:

(a) Les céréales telles que l'avoine, le maïs, l'orge et surtout le blé. Cultivé au nord de la Loire jusqu'à la frontière belge, il sert à la fabrication du pain, ce bon pain croustillant que les Français aiment tant. La France est le cinquième pays du monde producteur de blé après les U.S.S.R., les États-Unis, la Chine et le Canada, et elle a un large surplus qu'elle exporte.

Depuis la guerre, une nouvelle culture, celle du riz, a été commencée dans le delta du Rhône et s'étend maintenant aux départements voisins. Le rendement suffit aux besoins du pays à l'heure actuelle.

(b) La pomme de terre, un des principaux aliments des Français, cultivée principalement en Bretagne.

(c) Les fruits et les légumes, cultivés un peu partout, mais surtout dans le Nord, la région de Paris, les vallées de la Loire et de la Garonne et le long des côtes de la Méditerranée.

(d) La vigne, répandue autrefois sur tout le territoire, pousse surtout dans les régions suivantes: Champagne, Bourgogne, Alsace,

Les céréales sont surtout cultivées au nord de la Loire jusqu'à la frontière belge.

Récolte des carottes dans le sud de la France.

164

le Val de Loire, près de Bordeaux, et en bordure de la Méditerranée. La France est le premier pays du monde producteur de vin. Bien qu'elle en soit aussi le plus grand consommateur, elle en exporte dans tous les pays du monde.

(e) La betterave qui fournit du sucre ou qui sert d'aliment pour le bétail.

2. L'Élevage. Les chevaux et les bœufs servent encore de "moteur" pour les outils agricoles dans les petites fermes, mais ces animaux sont de plus en plus remplacés par des tracteurs mécaniques. De toute façon, la grande majorité du bétail est élevée dans un autre but.

(a) Les Bovins. Ce sont les bœufs, veaux et vaches qui représentent une des principales richesses de la France. Celle-ci est la sixième nation du monde et la première du Marché Commun pour cet élevage. La plus grande partie de ce bétail—dont les meilleures races sont en Normandie—est destinée à la boucherie et à la

Les vendanges en Bourgogne. (*Bringe*).

Une ferme moderne.

production laitière. Le lait est soit consommé tel quel, soit utilisé pour la fabrication du beurre et des fromages. La France occupe la deuxième place dans le monde pour la production des fromages.

    (b) Les Porcs. Cet élevage est en augmentation et la production du porc pour la boucherie est aussi grande que celle du bœuf.

    (c) Autres Animaux. Les chevaux sont élevés comme animal de trait et un peu pour la boucherie. Il y a aussi en Normandie des haras d'animaux pur sang qui sont élevés comme chevaux de selle ou de course. Le nombre des moutons et des chèvres a diminué depuis 1952 mais il y a encore de grands troupeaux dans les terres pauvres des Causses, des Alpes du Sud et en Corse. L'élevage de la volaille est devenu très moderne comme aux États-Unis et les fermes de volaille sont souvent situées près des grandes villes. Les oies du Périgord et de l'Alsace (deux provinces importantes pour la production des foies gras) et les poulets de Bresse sont toujours très renommés.

LES INDUSTRIES

A la fin de la dernière guerre mondiale, les industries françaises étaient en grande partie détruites. C'est un mal qui s'est vite changé en bien car cela a permis d'en moderniser un grand nombre et de les rendre bien plus productives qu'avant la guerre.

La France est maintenant le troisième pays industriel d'Europe après l'Allemagne de l'Ouest et la Grande-Bretagne. La production a doublé pendant ces dix dernières années et elle continue à augmenter.

1. Les Matières Premières. La France a une grande variété d'industries, ce qui est dû en partie à la diversité des ressources de son sous-sol.

La fabrication de l'acier est une industrie importante en Lorraine. (*Doumic*).

CARTE DES INDUSTRIES METALLURGIQUES

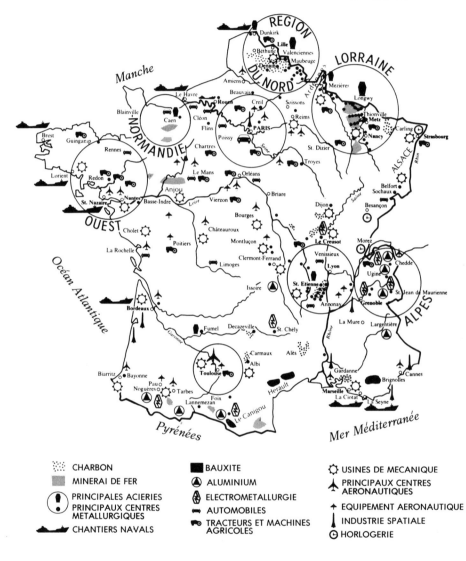

CHARBON

MINERAI DE FER

PRINCIPALES ACIERIES

PRINCIPAUX CENTRES
METALLURGIQUES

CHANTIERS NAVALS

BAUXITE

ALUMINIUM

ELECTROMETALLURGIE

AUTOMOBILES

TRACTEURS ET MACHINES
AGRICOLES

USINES DE MECANIQUE

PRINCIPAUX CENTRES
AERONAUTIQUES

EQUIPEMENT AERONAUTIQUE

INDUSTRIE SPATIALE

HORLOGERIE

(a) Ses mines de fer de Lorraine, les plus riches de l'Europe, et celles de Normandie lui permettent d'être le sixième pays du monde pour la production de l'acier. L'acier est la matière de base de presque toutes les autres industries et la production d'un ouvrier d'aciérie donne du travail à dix ouvriers mécaniciens.

(b) La France est un des principaux pays producteurs de bauxite que l'on trouve surtout dans le Midi. Elle tient le quatrième rang dans le monde pour la production de l'aluminium.

(c) Il y a peu de plomb, de cuivre, de zinc ou d'étain et le pays est obligé de les importer en grande quantité.

(d) Parmi les produits chimiques on trouve en Alsace d'importants gisements de potasse qui sert à fabriquer des engrais; le sel gemme du Jura et de la Lorraine donne non seulement du sel mais aussi de la soude; de plus le souffre est obtenu en quantité du gaz naturel de Lacq.

(e) On a trouvé en France plusieurs larges gisements d'uranium qui lui donnent le premier rang en Europe pour la production de cet important métal.

2. L'Énergie. Elle est obtenue de différentes manières dont certaines sont extrèmement modernes.

(a) Il y a des mines de charbon dans le Nord et le Nord-Est, mais la production est basse car les gisements sont profonds et assez pauvres. La France s'efforce de diminuer la consommation de charbon en utilisant de plus en plus l'électricité. Par exemple, les voies ferrées électrifiées transportent 72% de tout le traffic ferroviaire. Malgré tout, elle doit importer environ un cinquième de sa consommation de charbon.

(b) L'électricité provient en parties égales de l'énergie thermique (le charbon) et de la force hydraulique (la houille blanche) grâce à la construction de nombreux barrages dans les montagnes comme

La houille blanche: un barrage dans le Massif Central. (*Ehrman*).

La houille verte: l'usine marémotrice de la Rance.

ceux de Tignes, Serre-Ponçon et Roseland des Alpes, ou bien en
plaine comme ceux de Kembs sur le Rhin ou Gémissiat et Donzère-
Mondragon sur le Rhône. L'énergie nucléaire, employée dans des
usines comme celle de Marcoule dans le Gard, commence à produire du courant électrique pour l'industrie. De plus, la puissance
des marées (la houille verte) a commencé à être utilisée et la première
usine du monde a été construite sur la Rance en Bretagne. Elle
produit actuellement 350 millions de kWh par an.

Le four solaire de Montlouis.

(c) On utilise aussi l'énergie solaire par les fours de Mont-Louis et d'Odeillo dans les Pyrénées qui chauffent actuellement plusieurs villages.

(d) La France n'a pas beaucoup de pétrole ou de gaz naturel et elle doit importer une grande partie de sa consommation. Cependant les puits de Lacq et de Parentis dans le Sud-Ouest, ainsi que ceux qui se trouvent près de Paris, en Alsace et dans le Sahara, réduisent sensiblement les importations. Plusieurs raffineries importantes,

Un exemple d'automatisation dans les usines Renault: les carrosseries se dirigent automatiquement vers les deux lignes de finition. (*Renault*).

comme celles qui se trouvent entre Rouen et Le Havre, raffinent le pétrole brut qui arrive par bateau.

3. Les Industries Métallurgiques. Elles fournissent du matériel très varié: machines agricoles, textiles, machines-outils, matériel de chemin de fer, armes, etc. Les plus importantes sont:

(a) L'industrie automobile, qui est née en France vers 1895, est concentrée autour de Paris, du Mans et de Rennes. Elle tient la quatrième place dans le monde. Très perfectionnée, elle a augmenté sensiblement sa production. Parmi les cinq grandes marques, Citroën, Renault, Peugeot, Simca et Panhard, seule l'usine Renault a été nationalisée en 1946. Cette dernière produit maintenant cinq fois plus de voitures avec seulement 50% de plus d'ouvriers.

(b) L'industrie aéronautique construit surtout des moteurs qui sont livrés dans le monde entier. L'avion Caravelle et des hélicoptères sont aussi commandés par de nombreux pays étrangers.

L'avion franco-anglais *Concorde*
pendant son premier vol.

Le service *Colbert* de la
cristallerie de Baccarat.

(c) Le caoutchouc que l'on travaille surtout à Clermont-Ferrand et à Montluçon est employé pour faire des pneumatiques (les usines Michelin sont de renommée mondiale), des vêtements, des objets divers.

(d) L'industrie textile française est la quatrième du monde; c'est la plus ancienne et une des plus importantes de France. On la trouve un peu partout, mais les grands centres sont Roubaix-Tourcoing pour la laine, le lin et le chanvre; la Normandie et l'Alsace pour le coton; la région de Lyon pour les tissus de soie et les produits synthétiques.

4. Les Autres Industries. Il y a naturellement beaucoup d'autres industries: les constructions navales dans les grands ports; le bâtiment; la savonnerie dans les régions de Marseille et de Bordeaux; le verre et les glaces à la manufacture de Saint-Gobain, une des plus perfectionnées du monde, et le cristal à Baccarat; les porcelaines de

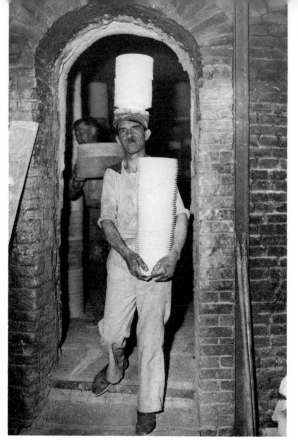

Limoges: le portage
des assiettes.

Sèvres et de Limoges qui sont bien connues; les parfums sur la
Côte d'Azur, etc. Enfin il ne faut pas oublier l'industrie hôtelière
dans un pays où le tourisme est une des plus grandes richesses.

Questions

LES FRONTIÈRES

1. Où se trouve la France? Qu'est-ce qui caractérise le plus le pays?
   Pourquoi?
2. Nommez les frontières naturelles de la France et dites où elles se
   trouvent.
3. Où est la frontière politique? Pourquoi est-ce une frontière politique?

LA GÉOGRAPHIE PHYSIQUE

1. Quelles sont les principales chaînes de montagnes? Se ressemblent-
   elles?
2. Comparez les Alpes et les Pyrénées.
3. Qu'est-ce que le Mont Blanc? Où est-il? Pourquoi l'appelle-t-on ainsi?
4. Comment le Jura s'est-il formé? Comment est-il?

5. Décrivez les Vosges.
6. Comment est le Massif Central? Qu'est-ce qu'un "puy"?
7. Quelle est la différence entre un fleuve et une rivière?
8. Quels sont les principaux fleuves de France?
9. Quelles sont leurs caractéristiques?
10. Pourquoi les cours d'eau sont-ils une des richesses de la France? Qu'est-ce qu'un train de péniches? A quoi sert-il?
11. Quels sont les différents climats de la France?
12. Décrivez chaque région climatique?

LA GÉOGRAPHIE ÉCONOMIQUE
1. Pourquoi la France est-elle un pays agricole?
2. Décrivez les différents groupes de travailleurs agricoles.
3. Y a-t-il de grandes exploitations agricoles? Pourquoi? Où sont-elles surtout?
4. Pourquoi les cultures sont-elles variées?
5. Quelles céréales fait-on pousser en France? Quelle est la céréale principale? Pourquoi?
6. Où cultive-t-on le riz en France?
7. Nommez d'autres cultures importantes.
8. Quels animaux servent encore de "moteur" dans les fermes? Sont-ils seulement élevés dans ce but?
9. Qu'est-ce qu'un bovin? Où sont les meilleures races? A quoi ces animaux sont-ils destinés?
10. Nommez d'autres animaux élevés en France.
11. Qu'est-ce qui a permis de moderniser l'industrie française?
12. La France est-elle un pays industriel important? Quel est son rang en Europe?
13. Quelles sont les principales ressources du sous-sol?
14. Quels minerais manquent surtout?
15. Y a-t-il de l'uranium en France?
16. La France produit-elle beaucoup de charbon?
17. Quelles sont les différentes façons de produire de l'électricité en France?
18. Quelles sont les principales industries françaises? Que savez-vous de chacune?
19. Nommez d'autres industries importantes et dites où elles se trouvent.

Sujets de Composition Française

1. Expliquez pourquoi on peut dire qu'au point de vue géographique, ce qui caractérise le plus le pays, c'est la variété due au relief, au climat et aux ressources du sol.
2. Pensez-vous que la France pourrait se suffire à elle-même si cela était nécessaire? Démontrez votre point de vue.
3. Pourquoi et comment les cours d'eau sont-ils une source de richesse pour la France?

Panorama de Paris avec, au fond, la Butte Montmartre et le Sacré-Cœur.

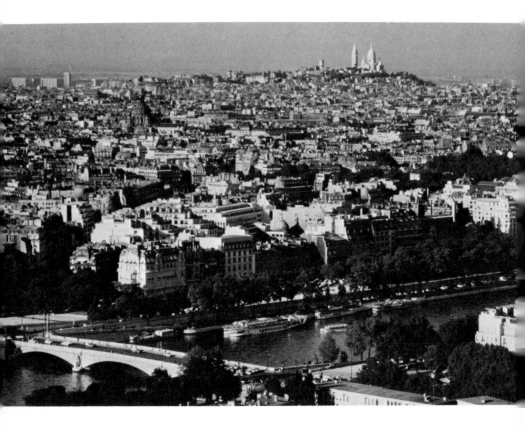

Chapitre 11

Paris et
ses environs

Paris

VUE GÉNÉRALE

Depuis des siècles Paris est le centre administratif de la France. Le président de la République habite le palais de l'Elysée situé au nord du Rond-Point des Champs-Elysées. Les chambres siègent à Paris: l'Assemblée au Palais-Bourbon, sur la rive gauche de la Seine, et le Sénat au Palais du Luxembourg. Tous les ministères y ont leurs bâtiments.

Paris est le moyeu du réseau ferroviaire et du réseau routier: la borne kilométrique numéro zéro se trouve sur la place du Parvis de Notre-Dame et c'est de là que part le kilométrage des routes nationales qui vont dans toutes les directions. Le gouvernement actuel cherche à décentraliser ces réseaux pour éviter des pertes de temps considérables à ceux qui n'ont pas besoin de passer par la capitale.

Le centre artistique du pays se trouve aussi à Paris. Il y a deux salles d'opéra, de nombreux théâtres et cinémas, plusieurs symphonies, etc. Les spectacles sont très fréquentés par les Parisiens qui sont souvent assez difficiles à contenter et qui n'hésitent pas à "siffler" les acteurs ou musiciens s'ils n'approuvent pas leur façon de jouer ou d'exécuter un morceau.

La capitale de la France, dont l'histoire date de plus de deux mille ans, est considérée comme une des plus belles villes du monde. Née

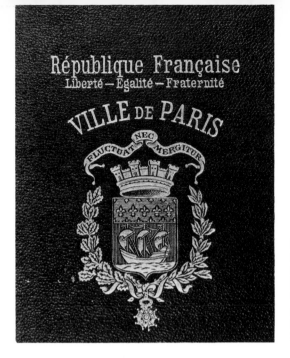

Les armes de Paris représentent l'emblème des premiers bourgeois riches de la ville, qui faisaient du commerce le long du fleuve avec des bateaux.

dans l'Ile de la Cité, la ville s'étend maintenant des deux côtés d'une boucle de la Seine qui la coupe en deux parties inégales : les quartiers de la rive gauche d'un côté et ceux de la rive droite de l'autre. Depuis la période gallo-romaine, la ville a eu six enceintes fortifiées dont les seuls vestiges sont ceux de la quatrième—celle de Louis XIII— qui comprennent les portes Saint-Martin et Saint-Denis sur les Grands Boulevards. Les limites actuelles de Paris ont été établies vers le milieu du XIXe siècle et au début du XXe on pouvait encore voir les murs avec leurs fossés qui entouraient la ville ; ceux-ci ont été démolis pendant les années vingt. Si on étudie la carte de Paris on peut voir plusieurs séries de boulevards concentriques—dont l'Ile de la Cité forme à peu près le centre—et qui ont été successivement les "boulevards extérieurs." Les nombreux endroits autour de Paris appelés "porte" perçaient l'enceinte la plus récente. On y percevait un octroi sur les marchandises entrant à Paris. Cet impôt n'existe plus maintenant.

Jusque vers 1850, l'aspect de Paris n'avait pas beaucoup changé depuis le Moyen Age. La cité était sillonnée de petites rues étroites, tortueuses, et extrêmement sales. C'est sous le Second Empire, sur les ordres de Napoléon III, que le préfet de la Seine, le baron Haussman, a effectué des travaux importants qui ont ouvert de grandes artères au travers de la ville. Il a créé, par exemple, la place de l'Opéra et la place de la République, ainsi que les Grands Boulevards qui aboutissent à ces carrefours. On lui doit aussi des squares et des promenades comme le bois de Boulogne. Cependant, il y a encore de nombreuses petites rues étroites qui vont dans tous les sens, dont la plupart sont maintenant des rues à sens unique.

Paris est une grande cité où il y a beaucoup de verdure. Les avenues et boulevards sont ombragés de tilleuls, de platanes ou de marronniers d'Inde. Il y a aussi de nombreux parcs et jardins qui sont très appréciés des Parisiens grands ou petits: les jardins des Tuileries et du Luxembourg; le Champ-de Mars où se trouve la Tour Eiffel; le parc Monceau, non loin de l'Étoile; le Jardin des Plantes, musée botanique et jardin avec une ménagerie; les Buttes-Chaumont, situées au nord dans un quartier très populeux; les bois de Vincennes et de Boulogne aux extrémités est et ouest de la capitale, chacun avec un jardin zoologique dont le plus récent et le mieux aménagé est au bois de Vincennes. De plus il y a des petits jardins, appelés squares, dans presque tous les quartiers de la métropole.

La ville a toujours un aspect animé avec sa circulation intense où s'enchevêtrent voitures, camions, autobus, motocyclettes et un grand nombre de bicyclettes. Il n'y a plus que très rarement des voitures de livraison tirées par un ou deux chevaux, mais on en voyait encore avant la dernière guerre mondiale.

Les Parisiens marchent beaucoup, et les trottoirs sont souvent bondés de piétons. Ils aiment flâner le long des grandes avenues et boulevards, le dimanche et les jours de fête ou bien le soir après le dîner, en admirant les marchandises dans les vitrines des boutiques et magasins. Les terrasses des cafés permettent de se reposer en prenant une consommation. On peut ainsi admirer ou critiquer les passants, tandis que ceux-ci font la même chose pour les consommateurs.

Un spectacle assez grandiose est celui que l'on peut admirer du haut de la Tour Eiffel, des tours de Notre-Dame ou de la Butte Montmartre. Par beau temps toute la ville s'étend à vos pieds avec ses grandes artères bordées d'arbres, ses immeubles aux toits d'ardoise grise couverts de nombreuses cheminées, aux fenêtres ombragées de volets de toile multicolores; ces immeubles sont tous à peu près de la même hauteur car, s'il y en a quelques-uns plus élevés que les autres, il n'y a pas encore de gratte-ciel. De ce parterre surgissent de place en place les nombreux clochers des églises et les monuments de la ville.

Ce tableau devient féerique la nuit car la "ville lumière" illumine artistiquement ses avenues et ses monuments avec des éclairages modernes si bien qu'ils se détachent comme des joyaux sur la toile de fond de velours noir des immeubles.

PRINCIPAUX QUARTIERS ET MONUMENTS

Au point de vue touristique, Paris offre aux provinciaux et aux étrangers une gamme infinie de sites et de monuments à visiter, de spectacles à voir et d'objets de toutes sortes à acheter.

Parmi les endroits à visiter, voici les principaux quartiers et leurs monuments:

1. Le Berceau de Paris. L'Ile de la Cité a acquis son aspect actuel sous Napoléon III. A ce moment-là, tout le centre de l'île a été démoli et vingt-cinq mille personnes ont été obligées d'aller habiter ailleurs.

(a) Tous les abords de Notre-Dame ont été rasés et, comme elle était en très mauvais état, sa restauration a été votée en 1841. Viollet-le-Duc et son équipe d'artistes et d'artisans ont terminé les travaux en 1864. Elle se dresse maintenant dans toute sa majesté et on peut l'admirer sans gêne. D'autres cathédrales sont plus vastes ou plus ornées, mais l'équilibre de ses proportions et la pureté de ses lignes en font un monument splendide.

(b) Il y a dans l'île tout un ensemble de bâtiments qui comprennent le Palais de Justice où siégeait autrefois le Parlement, la cour suprême de justice du royaume; la Sainte-Chapelle qui, malgré son aspect fragile, n'a pas eu une fissure depuis sept siècles; et la Conciergerie, ancienne prison appelée pendant la Révolution "l'antichambre de la guillotine," où ont séjourné des personnes célèbres y compris la reine Marie-Antoinette.

(c) Le Pont-Neuf, le plus ancien, le plus célèbre et le plus important de la capitale, a été terminé en 1604 sous Henri IV. Il a été restauré plusieurs fois, mais la partie principale, vieille de 350 ans, a résisté à tous les changements de niveau de la Seine. C'est pourquoi on dit d'une personne en bonne santé qu'elle "se porte comme le Pont-Neuf."

2. La Rive Gauche.

(a) Ce terme rappelle immédiatement à l'esprit le Quartier Latin, le quartier des étudiants avec sa célèbre Faculté des Lettres,

L'Ile de la Cité et le Pont-Neuf; on peut voir les tours de la Conciergerie derrière les arbres. (*Bulloz*).

la Sorbonne, près du boulevard Saint-Michel, le "Boul'mich" des étudiants. Pourquoi quartier "latin"? C'est parce qu'autrefois étudiants et professeurs ne se servaient que de cette langue pour les études.

Le quartier universitaire comprend le Collège de France qui date de François Ier, où de grands professeurs font des cours publics et gratuits, exposant souvent le résultat de leurs recherches ou expériences; la Faculté de Droit et l'École de Médecine; de grandes écoles comme l'École Polytechnique ou l'École Normale Supérieure; la Bibliothèque Sainte-Geneviève, etc.

(b) Près de l'École de Médecine, l'ancien hôtel des abbés de Cluny, les ruines des Thermes, les belles collections du musée forment un ensemble très intéressant. L'hôtel, rebâti de 1480 à 1510, est du style gothique flamboyant qui a immédiatement précédé la Renaissance. Le musée est consacré à des œuvres du Moyen Age; il contient, entre autres objets, de très belles tapisseries: la célèbre *Dame à la Licorne* y est exposée.

(c) Deux églises importantes se trouvent dans ce quartier. Il y a tout d'abord le Panthéon où sont enterrés des Français illustres comme Voltaire, Rousseau, Mirabeau, Victor Hugo, Zola, Jean Jaurès, et qui a été bâti au XVIIIe siècle sur les ordres de Louis XV. Il est en forme de croix grecque surmontée d'une très belle coupole. On peut voir ensuite l'église Saint-Étienne-du-Mont qui a une façade extrêmement originale et où se trouve un célèbre jubé—tribune entre le chœur et la nef—de style Renaissance. Cette église contient la châsse de sainte Geneviève, patronne de Paris.

(d) En continuant vers l'ouest, le long de la Seine, on peut visiter les endroits suivants: le palais du Luxembourg, où siège le Sénat, avec ses beaux jardins fréquentés par de nombreux étudiants; au sud du Luxembourg, le Quartier Montparnasse, où se trouvent de nombreux cafés comme le Dôme ou la Coupole et des boîtes de nuit, est le centre du monde artistique et littéraire de Paris.

(e) En suivant la courbe de la Seine, on arrive à un des plus beaux ensembles de Paris qui comprend l'hôtel des Invalides, l'église du Dôme et l'église Saint-Louis. Un jardin entouré d'un fossé précède l'hôtel dont la façade est très majestueuse. Fondé en 1670 par Louis XIV, il était destiné à hospitaliser les blessés de guerre, et il y a eu jusqu'à sept mille pensionnaires. Il contient maintenant le Musée de l'Armée, la plus grande collection militaire du monde.

L'église Saint-Louis et l'église du Dôme sont au centre. Cette dernière a été construite de 1679 à 1709 par Jules Hardouin-Mansart. De proportions admirables le dôme se dresse d'un seul morceau à une hauteur de 105 mètres au-dessus du sol. C'est le plus bel exemple de l'art du dôme à Paris. L'intérieur est très riche, décoré par les meilleurs artistes de l'époque. Le sol est couvert d'une splendide marqueterie de marbre. Au centre, directement sous le dôme, il y a une crypte avec une ouverture circulaire où est placé le tombeau de Napoléon Ier, comprenant un sarcophage de porphyre rouge placé sur une base en granite vert des Vosges.

Louis XIV ordonnant la construction de l'hôtel des Invalides.

Tout l'ensemble est précédé d'une longue esplanade menant au pont Alexandre III sur la Seine et de là au Rond-Point des Champs-Élysées en passant par les Grand et Petit Palais construits pour l'exposition de 1900.

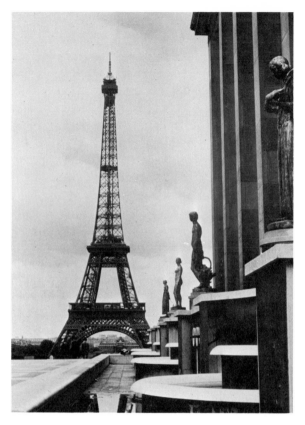
La tour Eiffel vue du palais de Chaillot.

(f) La Tour Eiffel, une des structures les plus connues et les plus hautes du monde (336 mètres) est au centre d'un immense parc appelé le Champ-de-Mars, bordé de magnifiques immeubles luxueux. Construite par l'ingénieur Gustave Eiffel pour l'exposition de 1889, la tour a été, à l'époque, l'objet de nombreuses protestations. C'est cependant un chef-d'œuvre de légèreté et de résistance, et elle a eu un immense succès dès son inauguration. Elle a trois plates-formes que l'on peut atteindre soit par des escaliers (!) soit par des ascenseurs. La vue du sommet est inoubliable, surtout par beau temps et juste avant le coucher du soleil lorsque le panorama s'étend jusqu'à soixante-sept kilomètres de distance. Au-dessus de la troisième plate-forme, le poste émetteur de la Radiodiffusion française a été installé en 1918.

Le Champ-de-Mars est bordé au sud-est par les bâtiments de l'École Militaire, très belle œuvre du XVIIIe siècle. A l'autre extrémité, au delà de la Seine que l'on peut traverser par le pont d'Iéna, se trouvent les jardins du Trocadéro terminés par le Palais de Chaillot, construction moderne, qui renferme plusieurs musées.

3. La Rive Droite. En faisant le voyage inverse et en allant vers l'est, au nord de la Seine, on trouve la longue perspective qui va de la place de l'Étoile au palais du Louvre, en passant par les Champs-Élysées, la place de la Concorde, le jardin des Tuileries et l'arc de triomphe du Carrousel; cette enfilade offre un coup d'œil unique au monde, qu'il faut voir du haut de l'arc de triomphe de l'Étoile.

(a) La place de l'Etoile, terminée par le baron Haussman, est le centre de l'étoile dont les branches sont formées par douze larges avenues qui rayonnent autour de l'arc de triomphe situé au centre de la place, sous lequel a été placé le tombeau du Soldat Inconnu et la Flamme du Souvenir qui est ranimée tous les soirs.

La place de l'Étoile.

Le pont et la place de la Concorde. Derrière l'obélisque on voit l'église de la Madeleine.

(b) L'une de ces avenues, les Champs-Élysées, est au centre d'un quartier touristique important avec ses magasins de luxe, ses cafés et ses grands hôtels. A mi-chemin entre l'Étoile et la Concorde, à l'endroit appelé le Rond-Point des Champs-Élysées (en forme d'étoile à six branches), les immeubles s'écartent des deux côtés pour laisser la place à des jardins bordés de beaux marronniers. Au nord de ces jardins se trouve le palais de l'Élysée.

(c) Commencée sous Louis XV, la place de la Concorde n'a été complétée que sous Napoléon III. Elle est d'un agencement très simple avec l'Obélisque de Louqsor au centre, don du vice-roi d'Égypte à la France en 1829.

(d) Le Louvre, l'immense palais des rois de France, est le plus grand palais du monde. Les parties les plus intéressantes sont la

Le Louvre et les jardins des Tuileries. Au centre, l'arc de triomphe du Carrousel.

Cour carrée et la colonnade. La forteresse initiale, bâtie en 1200 par Philippe Auguste, a disparu. La partie la plus ancienne date maintenant de la Reniassance

Cependant, c'est surtout à son musée que le Louvre doit sa renommée. Le catalogue des objets d'art, peintures et sculptures comprend plus de 200.000 numéros. Le musée est formé de six départements: les antiquités grecques et romaines; les antiquités égyptiennes; les antiquités orientales; les sculptures du Moyen Age, de la Renaissance et du XVIIᵉ siècle; des objets d'art de toutes sortes et des tableaux comprenant toutes les écoles depuis les primitifs du XVᵉ siècle jusqu'à la fin du XIXᵉ siècle. Il est intéressant de visiter le Louvre le soir car certaines salles ont des éclairages modernes qui font ressortir la beauté des œuvres exposées.

Un coin de la place des Vosges bâtie sous Henri IV.

(e) A l'est du Louvre, non loin de la place de la Bastille, théâtre des fameux événements de 1789, on peut visiter une ancienne place bâtie par ordre du roi Henri IV: la place des Vosges. Elle est entourée de bâtiments à arcades où on peut flâner devant des boutiques de luxe, à l'abri du soleil ou du mauvais temps. Des personnages célèbres ont habité dans certains de ces immeubles: la marquise de Sévigné, auteur du XVIIe siècle qui a écrit des *Lettres* remarquables, est née au numéro 1; le cardinal de Richelieu a habité l'hôtel du No. 18; Victor Hugo a été locataire au deuxième étage du No. 6. Cet appartement et un autre au-dessous forment le Musée Victor Hugo contenant les manuscrits de ses œuvres, des dessins exécutés par le poète lui-même, des meubles et des objets qui évoquent sa vie et son œuvre. Au milieu de la place se trouve un large square dont les arbres cachent malheureusement la vue de l'ensemble, sauf en hiver.

(f) Tout au nord, la Butte Montmartre, la colline la plus haute de Paris, domine toute la ville. C'est à la fois un lieu de pèlerinage—la tradition en fait l'endroit où a été exécuté le martyr saint Denis, le premier évêque de Paris—et un centre de plaisirs nocturnes avec

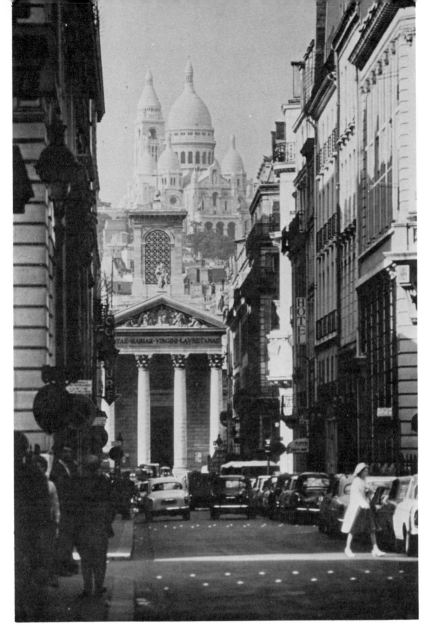

La basilique du Sacré-Cœur, de Montmartre.

ses nombreuses boîtes de nuit. La place du Tertre est encore un centre fréquenté par les artistes, mais c'est surtout au XIXe siècle que la Butte a logé les héros de la "vie de bohème" évoqués par Gustave Charpentier dans son opéra *Louise* et que l'on trouve aussi au Quartier Latin et à Montparnasse.

(g) Un coin pittoresque de Paris est le "Marché aux puces," porte de Clignancourt. Sur les trottoirs, dans de petites boutiques, on peut trouver toutes sortes de marchandises d'occasion. Il faut cependant bien connaître la valeur des objets que l'on a l'intention d'acheter car les "occasions" sont rares et on peut bien souvent s'y faire "estamper".

Les Environs de Paris

LA PETITE BANLIEUE

Elle comprend les environs immédiats de la capitale. Elle était autrefois très champêtre et les habitants—qui travaillaient souvent à Paris même—y avaient un pavillon avec un jardin de plaisance devant et surtout un jardin potager derrière. Les parties boisées étaient nombreuses et les parties cultivées alimentaient la capitale en salades et légumes que les maraîchers venaient apporter aux Halles la nuit dans leurs voitures à chevaux. Maintenant ceux-ci sont motorisés car ils viennent de plus loin.

A l'heure actuelle la petite banlieue est très industrielle—par exemple, la Compagnie Renault a des usines importantes à Courbevoie—mais il reste des îlots de verdure où les Parisiens vont se promener le dimanche et les jours de fête: les bords de la Marne, les bois de Meudon, les parcs de Saint-Cloud et de Sceaux, etc.

Au point de vue historique, la basilique de Saint-Denis, au nord de Paris, est très intéressante. Elle a été bâtie au début du XIIe siècle et restaurée au XIXe par Viollet-le-Duc. Elle doit son importance au fait que la plupart des rois de France jusqu'à Louis XVIII y ont été enterrés. On peut voir à l'intérieur de la basilique et dans la crypte leurs tombeaux et mausolées—vides depuis la Révolution— ornés de magnifiques sculptures.

LA GRANDE BANLIEUE

1. Son Aspect. Elle s'étend au-delà de la ceinture immédiate de Paris. C'est une région moins industrielle, moins peuplée que la banlieue proche, sauf autour de quelques centres comme Melun ou Corbeil, et qui comprend:

(a) Des vallées verdoyantes et pittoresques, où coule souvent une rivière et où les villages sont entourés de cultures maraîchères et de vergers: vallées du Petit et du Grand Morin, de la Bièvre, de la Marne, de l'Oise, la vallée de Chevreuse, etc.

(b) Des plateaux couverts d'immenses champs de blé ou de betterave à sucre: la Brie au sud-est et la Beauce au sud-ouest.

(c) Des parties boisées disséminées entre ces vallées et ces plateaux, vestiges de l'immense forêt qui couvrait tout le pays à l'origine et dont les plus beaux arbres sont le chêne (l'arbre national), le hêtre, le charme, le châtaigner, le bouleau et le pin. Les principales forêts sont celles de Montmorency, Chantilly, Compiègne, Sénart, Fontainebleau, Rambouillet, Marly, Saint-Germain, presque toutes forêts d'État et la plupart anciennes chasses royales.

2. Ses Monuments. Dans cette belle province, berceau de la nation française, les édifices civils et religieux abondent. Ils permettent de retracer les différentes étapes de l'histoire de France, vieille de plus de deux mille ans: les arènes de Senlis rappellent l'époque gallo-romaine; c'est à Noyon que Charlemagne a été couronné roi de Neustrie; le pieux saint louis a servi les moines de l'abbaye de Royaumont; Gisors, ville-frontière entre l'Ile-de-France et la Normandie, ainsi que Château-Gaillard, sur les hauteurs de la Seine, témoignent des luttes contre les ducs de Normandie devenus rois d'Angleterre. Les grandes cathédrales, Chartres, Beauvais,

La chapelle et la ferme de Port-Royal où ont vécu Racine, Pascal et les Jansénistes.

Senlis, Noyon, Soissons, et bien d'autres; des abbayes comme Royaumont, Chaalis, Port-Royal et Preuilly attestent de la profonde foi religieuse des Français d'autrefois.

C'est devant Compiègne que Jeanne d'Arc a été faite prisonnière par les Bourguignons. Tous les rois y sont souvent venus. Louis XIV y a séjourné soixante-quinze fois. Louis XV a fait entièrement reconstruire le château et Louis XVI y a épousé Marie-Antoinette. Sous le Second Empire c'était la résidence préférée de l'empereur et de l'impératrice Eugénie. L'Armistice du 11 novembre 1918 a été signé dans la forêt qui entoure le château.

Anet, château Renaissance, évoque Diane de Poitiers, favorite de Henri II. Saint-Germain-en-Laye, construit sur les ordres de François Ier, a été la résidence de Louis XIV avant Versailles. François Ier est mort à Rambouillet le 30 mars 1547. Au siècle suivant le château appartenait à la célèbre marquise, Catherine de Vivonne, dont l'hôtel parisien est devenu un centre artistique et littéraire très important. Le château est aujourd'hui la résidence d'été du Président de la République.

La Ferté-Milon, patrie de Racine, rappelle les Guerres de Religion car les Protestants s'y sont retranchés et y ont tenu tête à Henri IV pendant six mois.

L'abbaye de Port-Royal fait penser à Racine, Pascal et leurs amis jansénistes.

De nombreux châteaux rappellent la monarchie absolue et il y en a deux surtout qui sont étroitement liés au nom et à la personnalité de Louis XIV:

(a) Il faut d'abord mentionner Vaux-le-Vicomte—petit bijou de style classique—qui a été construit pour Nicolas Fouquet, surintendant des Finances de Louis XIV. Ce ministre avait amassé une fortune immense en détournant les fonds de l'État. Un autre ministre, Colbert, l'a dénoncé au roi qui était du reste jaloux de son faste; ce dernier l'a fait mettre en prison et a confisqué ses biens. Fouquet avait un goût très sûr: Le Vau, Le Brun et Le Nôtre ont érigé le château et le parc; La Fontaine lui était attaché; il protégeait Molière; et son cuisinier était Vatel!

(b) Louis XIV a voulu surpasser Vaux en magnificence et c'est ainsi qu'est né Versailles, chef-d'œuvre de l'art classique français, fastueuse résidence du Roi-Soleil, connue maintenant du monde entier.

Vue aérienne du château de Versailles.

Versailles a vu les débuts de la Révolution et l'écroulement de l'Ancien Régime. Il a failli être démoli sous Louis-Philippe qui l'a sauvé en donnant 25 millions de francs de sa fortune personnelle. La signature du traité de paix en juin 1919 a eu lieu dans sa magnifique galerie des Glaces et John D. Rockefeller a fait un don important après la Première Guerre Mondiale pour sa restauration. En été, il faut assister aux Grandes Eaux, qui se donnent sur le

François 1er a fait bâtir Fontainebleau, mais ce château rappelle surtout Napoléon 1er.

bassin de Neptune, lorsque toutes les fontaines forment des ballets d'eau; et au spectacle de nuit "Son et Lumière" qui retrace l'histoire du château.

Il reste à mentionner Fontainebleau, magnifique château Renaissance, bâti par François Ier, mais qui évoque surtout l'empereur Napoléon Ier car c'était sa résidence préférée; c'est là qu'il a abdiqué et qu'il a fait ses adieux à sa garde avant de partir pour l'île d'Elbe.

Questions

PARIS
1. Quelle est l'importance de Paris?
2. Comment la ville est-elle divisée géographiquement?
3. Quels sont les vestiges des enceintes fortifiées de la ville?
4. Quand a-t-on fait des grands travaux dans la ville? Qui les a dirigés?

Nommez quelques-unes des créations du baron Haussman.
5. Y a-t-il beaucoup de verdure dans Paris? Nommez les principaux parcs et jardins.
6. Quel est l'aspect de la ville dans la rue? Et du haut de la Tour Eiffel? Ou bien la nuit?
7. Qu'est-ce que le "berceau de Paris"? Quels en sont les principaux monuments?
8. Que dit-on au sujet du Pont-Neuf? Pourquoi? Ce pont a-t-il été construit récemment?
9. Qu'est-ce que le Quartier Latin? Pourquoi "latin"? Nommez-en les principaux monuments.
10. Décrivez l'hôtel et le musée de Cluny.
11. A quoi sert le Panthéon? Comment est-il bâti? Qui y est enterré?
12. Quelle est l'importance de l'église Saint-Étienne-du-Mont?
13. Qu'est-ce que les Invalides? A quoi l'hôtel a-t-il servi? et maintenant?
14. Parlez de la Tour Eiffel, de sa construction, aspect et emplacement.
15. Que trouve-t-on entre la place de l'Étoile et le Louvre? Décrivez chacun de ces endroits.
16. Qu'est-ce que le Louvre?
17. Comment est la place des Vosges? Qu'est-ce qu'on y trouve?
18. Parlez de la Butte Montmartre.

LES ENVIRONS DE PARIS
1. Qu'est-ce que la petite banlieue? Comment était-elle autrefois? Et maintenant? Qu'y a-t-il d'important au point de vue historique?
2. Qu'est-ce que la grande banlieue? Quelles sont les trois parties principales de cette région? Décrivez chacune d'elles.
3. Nommez des monuments qui rappellent les débuts de l'histoire de France.
4. Quelle est l'importance de Compiègne au point de vue historique?
5. Nommez plusieurs châteaux où a résidé François Ier.
6. Quels châteaux font penser à Louis XIV?
7. Quelle est l'importance de Versailles?
8. Quel château rappelle Napoléon Ier? Pourquoi? Qui a fait bâtir Fontainebleau? Quel est le style du château?

Sujets de Composition Française

1. Si vous pouviez aller à Paris, qu'est-ce que vous aimeriez le mieux voir et faire? Expliquez votre pensée.
2. Pourquoi y a-t-il tant d'étrangers qui vont étudier, travailler et vivre à Paris? Parlez des étrangers les plus célèbres qui y ont élu domicile. peut-on considérer leurs œuvres comme françaises ou non? Expliquez-vous.
3. Décrivez les monuments de Paris et de la région parisienne que vous préférez. Pourquoi les préférez-vous? Quel est celui qui vous semble le mieux symboliser Paris? Pourquoi?

Comme beaucoup d'autres provinces, la Bretagne a gardé le sens de son originalité, et toutes les fêtes sont des occasions pour revêtir le costume folklorique, caractérisé par la coiffe en dentelle.

Chapitre 12

La Province

Les Transports

A CAUSE de sa position géographique en Europe et des accidents de terrain: montagnes, cols, vallées, qui ont toujours commandé les échanges entre les peuples de l'Europe occidentale, la France—avec Paris au centre—forme le moyeu de réseaux de communication importants.

LES ROUTES

Comme la France a toujours été un pays agricole et un pays touristique, le système routier—le plus dense du monde—sillonne le pays comme une toile d'araignée et atteint le plus petit village. Il comprend les grandes routes nationales; les routes secondaires qui sont très intéressantes pour les touristes et les chemins ruraux.

Avec l'augmentation de la circulation: camions (les "routiers" voyagent surtout la nuit), autocars, automobiles, de grands travaux sont en voie d'exécution pour supprimer les passages à niveau et pour établir des autoroutes (dont un certain nombre seront "à péage").

LES CHEMINS DE FER

Ils ont été établis—comme les routes qu'ils longent dans bien des cas—avec Paris comme point central et ils se dirigent, en étoile, vers

Un train rapide entre Paris et Toulouse.

les villes importantes de France et d'Europe. Il y a environ 40.000 km de voies ferrées et les parties électrifiées transportent 72% du traffic total. Les autres sont de plus en plus équipées avec des autorails, où circulent des michelines (trains sur pneu), rapides, confortables et très propres. Les chemins de fer français sont très modernes et parmi les plus rapides du monde: le Mistral relie Paris à Lyon en 4 h, parcourant 512 km à 128 kmh, et Paris à Marseille en 7 h 11 soit 863 km à 120 kmh; l'Européen relie Paris à Strasbourg faisant 504 km en 4 h 11, c'est-à-dire qu'il marche en moyenne à 120 kmh; le Sud-Express effectue la liaison entre Paris et Hendaye, à la frontière espagnole, parcourant 816 km en 7 h, à 117 kmh de moyenne. Les chemins de fer utilisent l'électronique pour la signalisation, les transmissions et l'administration des réseaux.

Aspect Général

Nous avons vu dans les chapitres précédents que la France est riche en trésors artistiques de toutes sortes: monuments gallo-romains dans la partie sud de la vallée du Rhône; églises romanes surtout dans le centre et le sud de la France; cathédrales gothiques en Ile-de-France et dans les régions avoisinantes; châteaux Renaissance dans la vallée de la Loire. Il y a aussi des monuments historiques et des musées remplis d'objets d'art dans toutes les grandes villes.

Le pays abonde également en beautés naturelles qui sont rarement complètement sauvages. Même dans les Alpes et les Pyrénées, il faut aller en haute altitude, à l'intérieur des massifs, pour laisser derrière soi les constructions humaines. Cependant celles-ci ajoutent souvent à l'agrément du site par leur pittoresque. Les côtes de France, les rives des cours d'eau et des lacs sont généralement propriété nationale et tout le monde peut s'y promener sans être arrêté par une pancarte portant ces mots: "Propriété privée, défense d'entrer."

LES COTES

1. Les Plages. Les côtes souvent rocheuses sont percées de nombreuses plages de sable fin et quelquefois de galets. Les stations balnéaires renommées y abondent telles que Le Touquet-Paris-Plage et Deauville en Normandie; Dinard et La Baule en Bretagne; les Sables d'Olonne en Vendée; Biarritz au Pays basque; Saint-Raphaël,

Biarritz est la plus mondaine et la plus fréquentée des stations balnéaires du Sud-Ouest.

On voit beaucoup de bateaux comme celui-ci à Boulogne, le premier port de pêche de France.

Cannes, Juan-les-Pins et Antibes sur la Côte d'Azur. On y trouve de grands hôtels et des magasins de luxe. Leurs casinos avec salles de jeu, théâtres, concerts et cinémas offrent les plaisirs de la grande ville. Dans ces plages à la mode il y a souvent aussi un champ de courses, des cours de tennis, un golf et des écuries où on peut louer des chevaux. Une société très élégante vient y séjourner en été pendant les mois de juillet et d'août. A part ces endroits très chics, on peut aller se reposer sur des plages familiales où les amusements sont beaucoup plus simples: bains de soleil, natation, pêche à la crevette ou au crabe sur la grève à marée basse.

2. La Pêche. Comme la France a une très grande étendue de côtes (3.000 km), la pêche est naturellement une occupation importante pour la population qui habite le bord de la mer. C'est surtout une industrie où l'homme, propriétaire d'une petite barque et accompagné d'un mousse, pêche le long des côtes. Il part et revient tous les jours. Il y a cependant de plus grands bateaux avec un équipage de quelques marins qui vont en haute mer et y restent plusieurs jours. Ces deux genres de pêche se pratiquent à Boulogne (le premier port de pêche français) et Dieppe sur la Manche; à Douarnenez,

Concarneau, et La Rochelle sur l'Atlantique; et à Sète sur la Méditerranée. Les principaux poissons sont le hareng, la sardine, le maquereau, la sole, le merlan, le rouget et la dorade. Les crustacés comprennent le homard, la langouste, le crabe et l'araignée de mer. La grande pêche existe aussi en France, celle où les navires s'en vont plusieurs mois pêcher la morue en Atlantique Nord, sur les bancs de Terre-Neuve et d'Islande. *Pêcheur d'Islande*, roman de Pierre Loti (1850–1923) raconte la vie dure et dangereuse de ces hommes. Un des grands ports de pêche à la morue est Saint-Malo en Bretagne. Ce port est célèbre aussi pour les activités de ses marins au moment des grandes découvertes, aux XVIe, XVIIe et XVIIIe siècles: c'est la patrie de Jacques Cartier (1491–1557) qui a découvert le Saint-Laurent en 1534, des grands corsaires Dugay-Trouin (1673–1736) et Surcouf (1773–1827) ainsi que celle du grand écrivain Chateaubriand.

Les côtes offrent aussi d'autres ressources. On élève des huitres et des moules dans des parcs spéciaux. On trouve aussi, surtout en Méditerranée, des marais salants où on fait évaporer l'eau de mer pour en récolter le sel.

LES VILLES PRINCIPALES

La moitié de la population urbaine, environ 16 millions d'habitants, vit dans de grandes agglomérations dont la plus importante est naturellement la région parisienne qui contient plus de 8 millions d'habitants soit à peu près un sixième de toute la population. Trois autres grands centres, comprenant chacun environ un million d'habitants, sont la région de Marseille, celle de Lyon, et l'ensemble de Lille-Roubaix-Tourcoing au nord de la France. Il y a dix villes où vivent plus de 300.000 personnes: Bordeaux, Toulouse, Nantes, Nice, Rouen, Toulon, Strasbourg, Grenoble, Saint-Etienne et Lens. Les villes suivantes sont les plus intéressantes:

1. Le Havre, deuxième port de commerce de France, est situé à l'embouchure de la Seine. Il sert surtout au trafic des marchandises entre la France et l'Amérique du Nord. C'est un centre industriel important où il y a une des plus grandes raffineries de pétrole de France et où le pétrole brut arrive par bateau.

2. Entre Paris et le Havre se trouve Rouen, le troisième port de France, centre industriel aussi où l'industrie la plus importante est

Panorama de Rouen. La rive droite de la Seine.

celle du coton. Ville-musée, elle renferme de magnifiques bâtiments et des églises datant du Moyen Age et de la Renaissance; malheureusement, elle a été bombardée pendant la dernière guerre mondiale et en partie détruite. Quand on parle de Rouen, on pense à Jeanne d'Arc car elle y a été brûlée. C'est, entre autres, la patrie de Corneille et de Flaubert.

3. Dijon—ancienne capitale des ducs de Bourgogne—est placée depuis la période gallo-romaine sur la route principale entre le Nord et le Midi (le Sud de la France), au centre d'un pays de vignobles renommés depuis cette époque-là. Les grands crus de la Côte d'Or tels que Clos-Vougeot, Chambertin, Pomard et Meursault sont parmi les meilleurs du monde. Dijon est importante pour le commerce des vins, de la moutarde et des grains. Elle est aussi célèbre pour ses monuments civils et religieux: le palais des ducs, actuellement hôtel de ville; le palais de justice avec une façade très originale; l'église Saint-Michel de style roman; et de nombreuses maisons datant du Moyen Age.

4. La troisième ville de France est Lyon. Elle est placée stratégiquement au confluent du Rhône et de la Saône, carrefour

Vue de Lyon. Au premier plan, le Rhône. Plus loin on aperçoit la Saône.

important de routes venant des quatre points cardinaux. C'est le centre de la fabrication de la soie depuis Henri IV. En effet, il a fait importer de Chine des œufs de vers à soie et des mûriers pour nourrir les chenilles qui sortent de ces œufs. Jacquard a inventé son métier à tisser à Lyon où celui-ci a d'abord été utilisé. Maintenant, c'est la capitale des tissus de soie et de fils artificiels et synthétiques. Il y a aussi des usines de produits chimiques, pharmaceutiques et métallurgiques. La foire industrielle et commerciale, qui a lieu tous les ans, facilite son commerce européen et international.

5. Une des villes les plus anciennes de France, fondée par des Phocéens vers 600 av. J.C., près du delta du Rhône, Marseille est maintenant le premier port et la deuxième ville de France. Elle relie la France aux pays d'Orient. C'est un centre commercial et industriel important où l'on trouve des raffineries de pétrole (étang de Berre), des chantiers navals, et où se fabriquent des huiles, du savon et des produits chimiques. Le quartier du Vieux-Port est très pittoresque avec sa rue principale, toujours très animée : la Canebière. La ville est dominée par une colline où se trouve la basilique Notre-Dame-de-la-Garde, lieu de pèlerinages très fréquenté. L'hymne

La Vieux-Port de Marseille et, sur la colline, la basilique de
Notre-Dame-de-la-Garde.

national français, "La Marseillaise," est ainsi nommé parce que
c'est le régiment des Marseillais qui l'a fait connaître aux Parisiens
en 1792 pendant la Révolution. En réalité, ce chant patriotique a été
composé à Strasbourg par Rouget de l'Isle.

6. Au sud-ouest de la France, Toulouse est la capitale historique
du Languedoc. La "ville rouge," où la brique et la tuile rouges
dominent dans les constructions (telles que la magnifique église
Saint-Sernin, de style roman) devient la "ville rose" au lever et au
coucher du soleil. Située sur la Garonne et le canal du Midi qui
relie l'Atlantique à la Méditerranée, elle se trouve à un important
croisement de routes dans une région riche en vignobles, en céréales,
en fruits et légumes, et en pâturages. Ses principales industries sont
celles de la laine, des farines et pâtes alimentaires, des bestiaux. Il y
a aussi des usines de constructions métalliques, mécaniques et de
produits chimiques.

Toulouse est un centre intellectuel important. Son université,
comme celles de Paris et de Montpellier, date du XIIIe siècle et, dès
le XIVe siècle (1323), un important concours fondé par des troubadours, "Les Jeux Floraux," y a été établi pour récompenser les

poètes. Devenue l'Académie des Jeux Floraux sous Louis XIV, elle existe toujours, ainsi que le concours qui a lieu tous les ans. Des écrivans célèbres tels que Chateaubriand et Victor Hugo y ont reçu un premier prix.

7. Bâtie également sur la Garonne, Bordeaux est un grand port fluvial aussi bien qu'un port maritime puisque les gros cargos et transatlantiques venant de tous les points du monde peuvent s'y amarrer à 75 km de l'océan, grâce à la largeur et à la profondeur de la Gironde. C'est une des plus belles villes de France où l'on trouve nombre de monuments historiques. Montaigne a été maire de Bordeaux pendant plusieurs années. La ville est au centre d'une région de vignobles très importants. Elle exporte les vins de la région dans le monde entier. En 1954 on a découvert près de Bordeaux des gisements de pétrole assez importants. Ceci a redonné de l'essor à la région, du fait de la création d'un grand ensemble d'industries dont le pétrole est la matière première.

8. Plus au nord, Nantes sur la Loire et Brest à l'extrémité ouest de la Bretagne sont deux ports importants. Celui-ci, complètement détruit pendant la dernière guerre mondiale, vient d'être reconstruit. Il est placé au fond d'une baie immense dont l'entrée est très étroite, ce qui lui donne beaucoup de sécurité.

LES PRINCIPALES RÉGIONS TOURISTIQUES

De nombreuses provinces sont des régions touristiques très appréciées, non seulement pour leurs beaux sites naturels et leurs villes et villages aux vieilles maisons pittoresques, mais aussi pour les coutumes de leurs habitants, particulières à chaque région.

1. La Normandie, qui a beaucoup souffert de l'invasion alliée en 1944, s'est relevée rapidement depuis la fin de la guerre. C'est une région industrielle surtout le long de la Seine et autour de Caen où il y a des mines de fer. Cependant, cette province verdoyante et fertile doit sa richesse à l'agriculture depuis les temps les plus reculés. En effet, c'est principalement un pays de pâturages pour l'élevage des bovins (les bœufs, les vaches et les veaux) et des chevaux, pays de l'industrie laitière par excellence—renommé pour la fabrication du beurre et des fromages tels que le camembert et le Pont-l'Evêque—où la pomme à cidre remplace la vigne.

La Normandie est une région touristique de premier ordre du

fait de sa belle nature riante; un des coins les plus pittoresques est la "Suisse normande" ainsi nommée parce qu'elle est très vallonnée. On peut encore voir dans toute cette province de vieilles maisons aux boiseries apparentes, aux toits de chaume, avec leur ameublement d'un style spécial. Les jours de fête, les Normands portent leurs beaux costumes anciens, ce qui ajoute de l'intérêt au pays.

2. Un des monuments les plus intéressants et les plus splendides de France n'a pas encore été mentionné parce qu'il est unique au monde: c'est le Mont-Saint-Michel, situé dans la baie du même nom, à la frontière entre la Bretagne et la Normandie. Au sommet de cet îlot rocheux s'élève une magnifique abbaye bénédictine de style gothique, bâtie entre les XIe et XVIe siècles. C'est aussi une petite forteresse qui a résisté à toutes les attaques des Anglais pendant la Guerre de Cent Ans. L'abbaye a trois étages et la flèche est surmontée d'une magnifique statue de l'archange saint Michel exécutée au XIXe siècle par le sculpteur Frémiet. Cette petite île est entourée de sables mouvants à marée basse et la mer y remonte, paraît-il, à la vitesse d'un cheval au galop. On peut maintenant y arriver en voiture car une route a été bâtie pour accommoder les nombreux touristes qui viennent voir cette "merveille de l'Occident."

Le Mont-Saint-Michel à marée basse.

La côte bretonne dans le Finistère.

La côte qui longe la baie est bordée de nombreux "prés-salés" où paissent des moutons. Par un système de fossés et d'écluses les fermiers inondent les prés d'eau de mer qu'ils laissent évaporer. L'herbe qui pousse dans ces paturages donne une saveur spéciale à la chair des moutons et les "gigots de pré-salé" sont très appréciés des Français.

3. La Bretagne est une péninsule qui se trouve à l'extrémité ouest de la France. La côte est très fertile. C'est un pays maraîcher où poussent surtout des primeurs: pommes de terre nouvelles, choux-fleurs, petits pois, etc. On y cultive aussi des céréales comme le blé et l'avoine et on y élève une vache de petite taille mais dont la production laitière est très élevée. L'intérieur du pays est aride, c'est la lande couverte de bruyères, de genêts et de petits arbres maigres tordus par le vent. La côte est très rocheuse, bordée d'écueils; il y a des courants dangereux et les navires viennent souvent s'y perdre comme l'indique le nom de certains endroits: baie des Trépassés ou enfer de Plogoff. Des monuments mégalithiques existent dans toute la Bretagne et surtout près de Carnac. Ils ont été érigés par des hommes préhistoriques dont la civilisation est inconnue.

Les Bretons sont très croyants et les nombreux pèlerinages appelés "pardons," qui ont lieu tous les étés, présentent aux touristes un spectacle inoubliable: pèlerins en costumes d'autrefois et coiffes de dentelle—différents pour chaque ville ou région bretonne; églises et calvaires décorés; processions typiques. Les pardons les plus célèbres sont ceux de Sainte-Anne-d'Auray, de Guingamp et le pardon des Terre-Neuvas—les pêcheurs qui partent pour Terre-Neuve. Certaines fêtes sont accompagnées de danses et de chansons populaires où l'on joue d'un ancien instrument à vent, le biniou, similaire à la cornemuse écossaise. Les vieilles maisons bretonnes avec leurs meubles de style "breton" ont une saveur moyenâgeuse.

4. Le Val de Loire, terre des châteaux, habitation des rois, le jardin de la France, a un climat très doux. C'est un pays de vergers, de vignobles, de pépinières et de roses, célébré par les poètes de la Renaissance, surtout Ronsard et son ami Du Bellay—tous deux natifs de la région. Au sud de la courbe de la Loire se trouve la Sologne qui était autrefois marécageuse, et qui est maintenant plantée de pins. C'est une province importante pour la chasse et la

Un calvaire breton construit de 1602 à 1604.

pêche. Dans le Berry, Bourges—où se sont réfugiés les rois de France pendant la Guerre de Cent Ans—est une belle cité historique avec ses vieux hôtels particuliers et sa magnifique cathédrale Saint-Étienne.

5. L'Alsace est un pays de beaux vignobles plantés au pied des Vosges. La capitale, Strasbourg, dominée par la flèche de sa cathédrale gothique, est à la fois un centre universitaire et un grand port sur le Rhin. Cette province est un pays de vieilles cités comme Colmar et Mulhouse, qui ont conservé leurs nids de cigognes, leurs anciennes maisons sculptées datant du Moyen Age et où on peut déguster la délicieuse choucroute alsacienne.

La toile des Vosges est renommée en France pour sa finesse. Après le tissage, les filateurs étendent ces toiles au soleil dans les champs pour les faire blanchir, ce qui donne un aspect tout spécial à la campagne.

Danse folklorique d'Alsace. Sur le toit, un nid de cigognes.

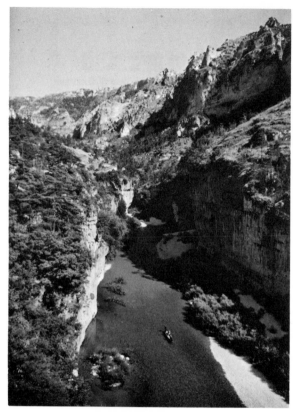

Les gorges du Tarn
offrent des
paysages splendides
dans une région
peu habitée.

6. Au centre de la France en Auvergne et dans les régions avoisinantes il y a de nombreuses stations thermales. Vichy, La Bourboule,
Le Mont-Dore sont les principales, mais il n'est pas obligatoire de
prendre les eaux pour visiter ces endroits mondains qui se trouvent
dans des sites touristiques renommés.

7. Le sud-ouest du Massif Central est un large plateau crayeux,
les Causses, où les eaux ont creusé de nombreuses cavernes parmi
lesquelles se trouvent les grottes de Dargilan; ou bien des canyons
comme Rocamadour et les gorges du Tarn. A d'autres endroits
l'érosion a découpé les rochers en formes curieuses, comme à
Montpellier-le-Vieux. La fraîcheur des vallées, si profondément
creusées dans le roc contraste heureusement avec l'aridité et l'aspect
sauvage des plateaux. De vieilles villes comme Albi avec ses
anciennes maisons bâties à pic sur le Tarn, son pont très curieux et
sa magnifique cathédrale Sainte-Cécile, sont justement célèbres.

Albi possède une
étrange cathédrale
qui ressemble à
un château fort.

Danse folklorique
basque.

8. Le Pays basque, à cheval sur la frontière française et espagnole,
du côté Atlantique, présente une langue et une civilisation dont
l'origine se perd dans la nuit des temps préhistoriques. Costumes,
habitations, ameublement, chants, danses et instruments de musique

ont un charme tout particulier. Le sport séculaire est la pelote basque, un des plus rapides du monde. Le pays est montagneux, boisé et sillonné de cours d'eau poissonneux.

9. La vallée du Rhône a préservé les plus beaux monuments gallo-romains qui ont été cités dans un chapitre précédent. C'est une grande vallée fertile dans laquelle souffle souvent un vent du nord très froid et très puissant: le mistral.

Avignon, où les papes ont résidé pendant près de quatre-vingts ans au XIVe siècle, a conservé la formidable forteresse qu'ils ont habitée. En été le magnifique spectacle de nuit "Son et Lumière", retrace l'histoire de ce château féodal.

10. La Côte d'Azur sur la Méditerranée, avec son agréable climat ensoleillé, est une des premières régions touristiques de France. Le littoral est très découpé, l'arrière-pays—formé par les monts des Maures et de l'Estérel—est accidenté, couvert de champs d'orangers,

Le Rhône à Avignon. Au centre le célèbre pont Saint-Bénezet.

Il y a quelques plages de galets en France dont celle de Nice.

de citroniers et d'oliviers. Il y a aussi partout des champs de fleurs, cultivées pour le commerce et l'industrie, spécialement autour de Grasse, la capitale des parfums. En hiver une des plantes les plus appréciées est le mimosa dont les fleurs sont des grappes de petites boules jaunes qui embaument l'atmosphère.

La grande ville de la Côte d'Azur est Nice—vieille de plus de vingt-cinq siècles—qui continue la grande tradition du carnaval avant le Carême, avec ses défilés de voitures fleuries et de monstrueux masques en papier-mâché, pendant lesquels on se bat à coups de confettis et de serpentins.

11. Les montagnes des Alpes et des Pyrénées, couvertes de neiges éternelles ou de forêts de conifères et leurs nombreux lacs et cours d'eau (souvent des torrents) offrent une grande variété de distractions. Il y a des excursions ou sports en haute altitude avec les nombreux téléfériques qui, comme à Chamonix, Mégève ou Val d'Isère dans les Alpes, permettent les sports d'hiver et même le ski d'été. Camping, escalades, alpinisme, promenades—en bateau, à pied, à cheval ou en voiture—tennis et golf, sont parmi les autres distractions possibles. Pour ceux qui aiment en plus la grande vie

Un refuge de
montagne près de
Chamonix dans les
Alpes.

mondaine—casino, concert, théâtre—il n'est pas nécessaire d'être
malade pour séjourner dans les grandes stations thermales telles que
Luchon ou Cauterets dans les Pyrénées ou bien Evian en Savoie.

Les villages entourés de champs et de vergers occupent les vallées
et les cultures montent en terrasses aux flancs des montagnes.
Pendant l'hiver les animaux restent à l'étable, mais au printemps
chaque village rassemble tous ceux qui ne servent pas au travail des
champs. Sous la direction de quelques bergers et de leurs chiens,
bœufs, vaches, veaux, moutons, brebis, agneaux, boucs, chèvres et
chevreaux, partent pour les hauts pâturages où ils resteront tout
l'été et ne reviendront qu'en automne. On entend souvent de la
vallée le son des clochettes qu'ils portent au cou se réverbérer en
tintements clairs et musicaux de montagne en montagne.

Paysage de Savoie.

Tout ceci est un aperçu bien rapide et bien succinct de ce que la France peut offrir aux touristes. Il reste maintenant à mentionner les délices gastronomiques qui sont uniques au monde: chaque région, chaque ville, chaque village a ses propres recettes, toutes plus savoureuses les unes que les autres, et ses vins fins pour les arroser, car la France est un pays de gourmets . . . et de gourmands.

Questions

1. Pourquoi Paris est-il au centre des réseaux routiers et ferrés?
2. Expliquez l'importance du réseau routier. Dites ce qu'on fait pour l'améliorer.
3. Comment sont les chemins de fer? Quelle est l'importance des voies électrifiées?
4. Comment sont les trains français? Donnez des exemples de leur rapidité.

LES CÔTES
1. Y a-t-il des beautés naturelles en France? La nature est-elle sauvage? Où faut-il aller pour la trouver? Quelle est l'influence des constructions humaines sur la nature?
2. Y a-t-il beaucoup de propriétés privées le long des côtes, des rivières et des lacs? Pourquoi?
3. Comment sont les côtes? Nommez des stations balnéaires renommées. Qu'est-ce qu'on y trouve?
4. A part ces endroits chics, y a-t-il d'autres plages? Qu'est-ce qu'on peut y faire?
5. Quelle est l'occupation principale des habitants de la côte? Quels sont les différents genres de pêche? Décrivez-les.
6. Quel est un des ports principaux de la pêche à la morue? Où se trouve-t-il? De qui est-il la patrie? Qui sont ces hommes?
7. Quelles sont les autres ressources des côtes?

LES VILLES PRINCIPALES
1. Où vit la moitié de la population urbaine?
2. Combien de villes ont plus de 300.000 habitants? Nommez-les et dites où elles se trouvent en France.
3. Qu'est-ce que Le Havre? Où est-il? A quoi sert-il? Qu'est-ce qu'on y trouve? Comment arrive le pétrole brut?
4. Parlez de Rouen. Quelle est son importance au point de vue industriel, artistique et historique?
5. Où se trouve Dijon? Quelle est son importance historique? Quels sont ses principaux monuments?
6. Quelle est la troisième ville de France? Où se trouve-t-elle? C'est le centre de quelle industrie? Depuis quand? Pourquoi? Quelles sont ses principales industries?
7. Que savez-vous de Marseille?
8. Pourquoi l'hymne national français s'appelle-t-il "La Marseillaise"? Où a-t-il été composé? Par qui?
9. Où se trouve Toulouse? Quelle est son importance? Est-ce un centre intellectuel? Expliquez.
10. Nommez un autre port important sur la Garonne. Est-ce un port

maritime? Pourquoi? Quelle est l'importance de cette ville au point de vue agricole et industriel?

11. Nommez deux autres ports importants de France. Où se trouvent-ils? Pourquoi les ports sont-ils parmi les plus grandes villes de France?

LES RÉGIONS TOURISTIQUES

1. Pourquoi les provinces de France sont-elles des régions touristiques appréciées?
2. Où se trouve la Normandie? Quelles sont ses richesses?
3. Qu'est-ce que le Mont-Saint-Michel? Où est-il situé? Décrivez cette merveille.
4. Qu'est-ce qu'un pré-salé? A quoi sert-il?
5. Où est la Bretagne? Comment est la côte? Qu'est-ce qu'on y cultive? Comment est l'intérieur du pays?
6. Que savez-vous des pardons? Nommez-en quelques-uns. Comment s'appelle l'instrument de musique des Bretons?
7. Qu'est-ce que le Val de Loire? Décrivez-le.
8. Où est la Sologne? Quelle est son importance?
9. Comment est l'Alsace?
10. Qu'est-ce qu'on trouve en Auvergne? Nommez des stations thermales. Faut-il prendre les eaux pour y aller? Pourquoi?
11. Qu'est-ce qu'il y a au sud-ouest du Massif Central? Qu'est-ce que l'érosion y a fait? Quel contraste y trouve-t-on?
12. Où est le Pays basque? Quelle est l'origine de la civilisation basque? Comment s'appelle le sport favori des habitants? Comment est-il?
13. Qu'est-ce que le mistral? Où souffle-t-il? Quelle est l'importance historique d'Avignon?
14. Qu'est-ce que la Côte d'Azur? Décrivez le pays.
15. Quelle est la grande ville de la Côte d'Azur? A quelle époque le carnaval a-t-il lieu? Qu'est-ce qu'on y fait?
16. Quelles sont les distractions dans les montagnes? Où peut-on faire du ski d'été? Pourquoi? Où trouve-t-on la grande vie mondaine? Nommez quelques-unes de ces stations.
17. Qu'y a-t-il dans les vallées de montagne? Les cultures sont-elles seulement dans la vallée? Où sont-elles aussi?
18. Racontez le voyage bi-annuel des animaux dans les régions montagneuses.
19. Qu'est-ce que la France offre d'autre aux touristes? Pourquoi?

Sujets de Composition Française

1. Quelle est la province qui vous paraît la plus intéressante? Dites pourquoi.
2. Décrivez une des régions de France que le texte ne mentionne pas.
3. La France offre des beautés naturelles ainsi que des monuments et œuvres d'art faits par les hommes. Qu'est-ce que vous préférez? Prouvez votre point de vue.

Un jour de vote dans une mairie.

Chapitre 13

Le Gouvernement
et l'Administration

Le Gouvernement

La Cinquième République a été établie par la Constitution de septembre 1958 approuvée par 60% des électeurs inscrits. D'après cette constitution et les quelques changements qui y ont été apportés en octobre 1962, le gouvernement de la France comprend les institutions suivantes:

LE POUVOIR EXÉCUTIF

1. Ce pouvoir est exercé par le Président de la République qui est élu pour sept ans au suffrage universel direct. Il a un rôle beaucoup plus important que sous la Troisième République et c'est vraiment lui qui dirige maintenant les destinées de la France.

Il choisit le Premier Ministre et préside le Conseil des Ministres. Il signe les lois (avec le Premier Ministre) et les fait exécuter. Lorsqu'il n'approuve pas une des lois votées par le Parlement, il peut la lui renvoyer avec ses recommandations pour que celui-ci réexamine la question. Le Président peut présenter directement aux électeurs, en référendum, certains projets de loi importants; il lui est aussi possible dans certains cas de dissoudre l'Assemblée et de faire procéder à de nouvelles élections.

Enfin le Président est le chef suprême des armées; il négocie et ratifie les traités avec les pays étrangers et, lorsque la nation est en

Le bureau du président de la République au palais de l'Élysée.

danger, il peut "prendre les mesures exigées par les circonstances" (Art. 16).

2. Après avoir été nommé par le Président, le Premier Ministre choisit les différents Ministres et Secrétaires d'État qui forment le Conseil des Ministres.

La Constitution de 1958–62 s'est efforcée de diminuer les pouvoirs de l'Assemblée pour éviter les nombreuses chutes de ministère qui avaient empêché la Troisième et la Quatrième Républiques de fonctionner convenablement. Jusqu'à présent elle semble avoir réussi à maintenir un gouvernement stable.

Le Premier Ministre dirige l'action du gouvernement qui détermine la politique générale du pays. Il assume donc une très grande responsabilité, avec le Président de la République. Il s'occupe de faire appliquer les lois; il nomme les titulaires de certains postes civils et militaires; il est chargé de la défense nationale. Le gouvernement (le Premier Ministre et son Conseil) est responsable devant l'Assemblée Nationale. Cependant, il ne peut être renversé que si une motion de censure signée par un dixième au moins des membres de l'Assemblée Nationale est votée à la majorité absolue des députés.

La façade du Palais Bourbon où siège l'Assemblée nationale.

LE POUVOIR LÉGISLATIF

Il appartient à deux assemblées qui forment le Parlement.

1. Les membres de l'Assemblée Nationale sont élus pour cinq ans au suffrage universel direct. Il y a 552 députés qui doivent être âgés d'au moins 23 ans.

2. Les sénateurs sont élus pour neuf ans au suffrage universel indirect. Le collège électoral comprend des députés, des conseillers généraux et des délégués des conseils municipaux ou leurs représentants. Le Sénat est renouvelable par tiers. Il comprend 283 sénateurs qui doivent avoir au moins 35 ans.

Une des innovations de la Constitution—qui rend le gouvernement encore plus stable—est d'interdire aux députés et sénateurs d'accepter aucun autre poste gouvernemental. Le Parlement siège cinq mois et demi par an maximum, mais des sessions extraordinaires peuvent être convoquées. Il vote des lois, mais seulement dans le domaine qui lui est attribué par la Constitution et qui concerne l'établissement de statuts ayant trait aux droits individuels des citoyens et à l'organisation de l'État.

L'initiative des lois a été assignée au Premier Ministre aussi bien qu'aux membres du Parlement; mais c'est le gouvernement qui a priorité pour établir l'ordre du jour des débats et le Parlement ne peut prendre aucune initiative en ce qui concerne les dépenses. Ce dernier contrôle les actions du gouvernement par des questions, des discours ou des motions de censure, mais il ne le domine plus.

LES CONSEILS ET ORGANES SPÉCIALISÉS

1. Le Conseil Constitutionnel comprend (en plus des anciens Présidents de la République nommés à vie) neuf membres nommés pour neuf ans, un tiers par le Président de la République et un tiers par le président de chaque assemblée.

Ce Conseil décide de la constitutionalité des lois. Il surveille les référendums et les élections. Il juge en matière d'élections disputées. Il décide si le Président de la République est empêché d'exercer ses fonctions. Si le Président de la République assume des pouvoirs exceptionnels, ce Conseil doit être consulté sur toutes les décisions à prendre.

2. Le Conseil Économique et Social est une assemblée consultative qui comprend 200 membres nommés pour cinq ans. Les deux tiers sont nommés par les unions et organisations professionnelles et un tiers par le gouvernement. Il conseille le gouvernement au sujet de sa politique économique et sociale.

3. La Haute Cour de Justice, formée de 24 juges élus par moitié par l'Assemblée et le Sénat, a la responsabilité de juger le Président de la République s'il est accusé de haute trahison et les Ministres s'ils sont accusés de conspiration contre l'État ou s'ils ont commis des crimes ou offenses pendant l'exercice de leurs fonctions.

4. Le Conseil Supérieur de la Magistrature, composé de neuf membres nommés pour quatre ans par le Président de la République, seconde celui-ci pour la nomination des magistrats. Il donne son avis en cas d'appel après une condamnation à mort, mais c'est le Président qui seul peut la commuer.

5. Le Conseil d'État a un double rôle. D'une part il avise le gouvernement sur la rédaction des textes, règlements, ou décisions administratives. D'autre part, il sert de cour suprême en matières administratives et tout citoyen qui n'approuve pas une décision prise par l'Administration à son sujet peut "se pourvoir en Conseil d'État."

LE POUVOIR JUDICIAIRE

1. Selon la tradition républicaine, celui-ci est indépendant des autres pouvoirs. La Constitution du 4 octobre 1958 établit que le Président de la République, assisté du Conseil Supérieur de la Magistrature, doit garantir l'indépendance de l'autorité judiciaire.

2. Les principes de base sont les suivants :

(a) Les débats sont publics et le jugement doit être lu en public également.

(b) Sauf pour les frais de procédure (qui sont payés par l'assistance judiciaire pour les citoyens incapables de les payer), le recours en justice est gratuit.

(c) La partie condamnée peut faire appel à un tribunal supérieur.

Entrée principale du palais de Justice. On aperçoit la Sainte-Chapelle à gauche.

(d) Des garanties sont assurées à la défense comme le jugement par jury.

(e) Une distinction très nette est maintenue entre la justice civile et la justice criminelle.

3. Il y a quatre sortes de juridictions correspondant aux quatre grandes divisions du système judiciaire:

(a) Les juridictions civiles qui jugent les contestations entre particuliers.

(b) Les juridictions criminelles qui jugent les infractions à la loi.

(c) Les juridictions professionnelles qui jugent les disputes survenant entre individus à l'occasion de leurs activités professionnelles.

(d) Les juridictions administratives qui jugent les différends opposant les particuliers à l'Administration.

L'Administration de la France

L'ADMINISTRATION CENTRALE

Elle est représentée par les différents ministères dirigés par un Ministre entouré de ses Secrétaires qu'il choisit et qui l'aident. D'autre part, les Directeurs, plus stables parce qu'ils sont nommés par le gouvernement, s'occupent de faire appliquer les lois sur le plan administratif.

Il y a quinze ministères qui s'occupent des affaires du pays. Les principaux sont les suivants:

1. Le Ministère des Affaires Étrangères—appelé souvent le "Quai d'Orsay" (du nom du boulevard où il est situé à Paris)—s'occupe des relations avec les pays étrangers et des intérêts de la France et des Français à l'étranger. Il nomme les ambassadeurs, consuls et vice-consuls.

2. Le Ministère de l'Intérieur qui coordonne l'administration de la France et veille à son bon fonctionnement.

3. Le Ministère de la Justice qui a pour mission d'appliquer les lois. Il nomme les magistrats sur avis du Conseil Supérieur de la Magistrature et les membres du "Parquet" qui s'occupent des infractions aux lois. La justice est basée sur des codes de lois établis par Napoléon Bonaparte ainsi que sur la jurisprudence, c'est-à-dire l'ensemble des jugements rendus.

4. Le Ministère des Armées qui offre un commandement unique pour les armées de terre, de l'air et de mer. Le Ministre des Armées est chargé de l'exécution de la politique militaire du Président de la République et de son Premier Ministre. Il est responsable de l'organisation, de la direction, de la préparation et de la mobilisation des troupes.

Le service militaire est obligatoire pour tous les jeunes gens d'au moins 18 ans, sauf pour les étudiants qui sont exemptés jusqu'à la fin de leurs études. Le service dure environ 16 mois plus des périodes d'entraînement jusqu'à l'âge de 38 ans. Il existe depuis si longtemps que la population l'accepte sans murmurer et trouve même que l'expérience est bonne pour les jeunes gens.

5. Le Ministère du Travail qui s'occupe des différentes lois réglementant les conditions du travail et la protection des travailleurs (comme l'hygiène et la sécurité) et qui régit la Sécurité Sociale: accidents du travail, assurances maladie et vieillesse, et allocations familiales.

6. Le Ministère des Finances et des Affaires Économiques qui contrôle les finances publiques, établit le budget de l'État et vérifie les comptes des agences gouvernementales avec l'aide de la Cour des Comptes.

Aidé du Conseil Économique et Social et du Commissariat au Plan, ce ministère s'occupe de la reconstruction, de la modernisation, du développement économique de la nation. Le plan français n'est pas imposé à la société comme dans les pays socialistes. Il sert simplement de guide pour obtenir un meilleur rendement des ressources nationales. Il est révisé tous les quatre ans.

7. Les ministères économiques—Agriculture, Industrie et Commerce, Travaux Publics et Transports—qui servent à faire exécuter les directives du plan. Ce sont des organismes d'information, de consultation et d'orientation qui travaillent étroitement avec les syndicats ouvriers, les organismes professionnels et les représentants des dirigeants des maisons de commerce et des industries.

8. Les trois ministères de l'Éducation Nationale, des Affaires Culturelles, et de l'Information qui s'occupent de l'instruction, d'organismes culturels en France et à l'étranger (attachés culturels dans les ambassades et consulats), des monuments nationaux, des théâtres subventionnés et des organismes d'information tels que la radio et la télévision, organes d'État.

L'ADMINISTRATION DU PAYS

La France est divisée en départements depuis la Révolution de 1789. Il y a 95 départements dans la France métropolitaine. Du grand empire colonial établi au XIXe siècle il ne reste plus que quatre départements d'outre-mer (l'île de la Réunion dans l'Océan Indien, la Guadeloupe et la Martinique dans les Antilles, et la Guyane en Amérique du Sud) et cinq territoires (Iles Comores, Polynésie, Côte des Somalis, Nouvelle-Calédonie, et Saint-Pierre et Miquelon).

1. Les Divisions Administratives et Assemblées Locales. Les départements sont administrés par le Ministère de l'Intérieur. Chaque département est divisé en arrondissements et ceux-ci en cantons. La plus petite subdivision est la commune.

Dans les départements il y a deux assemblées élues pour six ans au suffrage universel :

(a) Le Conseil Général—qui comprend un membre par canton— renouvelable par moitié tous les trois ans. Ce conseil s'occupe des affaires départementales : chemins, foires, marchés, organisation des services, travaux publics, etc.

(b) Le Conseil Municipal, composé de 11 à 37 membres, qui se réunit quatre fois par an. Celui-ci prend part aux élections sénatoriales ; il élit le maire et ses adjoints parmi ses propres membres ; et il s'occupe de toutes les affaires locales.

2. Les Chefs Administratifs. Les principaux administrateurs du département sont :

(a) Le préfet nommé par le Conseil des Ministres et révocable par celui-ci. Il réside à la préfecture qui est le chef-lieu du département. Il a un rôle difficile car il est à la fois le représentant du pouvoir central et celui du Conseil Général. Il s'occupe de faire exécuter les lois, représente tous les services publics, dirige la police, contrôle sous-préfets et maires, ordonne les dépenses, nomme les employés du département, etc.

(b) Le sous-préfet, nommé et révocable également par le Conseil des Ministres. Il réside dans la sous-préfecture qui est le chef-lieu d'arrondissement. Il assiste le préfet comme agent du gouvernement et s'occupe surtout des communes.

(c) Le maire qui est assisté de un à douze adjoints. Bien que nommés par le Conseil ils peuvent tous être suspendus ou révoqués par le gouvernement. Le maire et ses adjoints exécutent les lois ; ils

DEPARTEMENTS

LIMITE DES DEPARTEMENTS

• **CHEF-LIEU**

PAS-DE-CALAIS
NORD
SOMME
AISNE
ARDENNES
SEINE-MARITIME
OISE
MARNE
MEUSE
MOSELLE
BAS-RHIN
EURE
CALVADOS
MANCHE
Paris
NEW DEPARTMENTS
SEINE-ET-MARNE
MEURTHE-ET-MOSELLE
ORNE
VOSGES
FINISTÈRE
CÔTES-DU-NORD
MAYENNE
EURE-ET-LOIR
AUBE
HAUTE-MARNE
HAUT-RHIN
ILLE-ET-VILAINE
SARTHE
LOIRET
YONNE
HAUTE-SAÔNE
T. DE BELFORT
MORBIHAN
LOIRE-ATLANTIQUE
MAINE-ET-LOIRE
INDRE-ET-LOIRE
LOIR-ET-CHER
CÔTE-D'OR
DOUBS
CHER
NIÈVRE
JURA
VENDÉE
DEUX-SÈVRES
VIENNE
INDRE
SAÔNE-ET-LOIRE
ALLIER
CHARENTE-MARITIME
CHARENTE
CREUSE
RHÔNE
AIN
HAUTE-SAVOIE
HAUTE-VIENNE
PUY-DE-DÔME
LOIRE
SAVOIE
CORRÈZE
HAUTE-LOIRE
ISÈRE
DORDOGNE
CANTAL
DRÔME
HAUTES-ALPES
GIRONDE
LOT
ARDÈCHE
LOT-ET-GARONNE
LOZÈRE
TARN-ET-GARONNE
AVEYRON
VAUCLUSE
BASSES-ALPES
ALPES-MARITIMES
LANDES
GERS
TARN
GARD
BOUCHES-DU-RHÔNE
VAR
BASSES-PYRÉNÉES
HAUTE-GARONNE
HÉRAULT
HAUTES-PYRÉNÉES
AUDE
ARIÈGE
PYRÉNÉES-ORIENTALES

NOUVEAUX DEPARTEMENTS DE LA REGION PARISIENNE DEPUIS JUILLET 1964

VAL D'OISE
YVELINES
SEINE-ST-DENIS
HAUTS-DE-SEINE
PARIS
VAL-DE-MARNE
ESSONNE

CORSE

sont officiers de l'état civil célèbrant les mariages civils, enregistrant les naissances, mariages et décès. Le maire préside le Conseil Municipal et suit ses directives pour l'administration de la commune; il prépare le budget et nomme les employés municipaux, etc.

3. La Région Parisienne. Cette région surpeuplée avait une administration très compliquée et peu pratique. Elle comprenait Paris et les environs immédiats formant le département de la Seine, le département de Seine-et-Oise et celui de Seine-et-Marne. Ils sont maintenant divisés en 8 départements: Paris—comprenant toujours 20 arrondissements—Hauts-de-Seine, Seine-Saint-Denis, Val-de-Marne, Val d'Oise, Yvelines, Essonne, et Seine-et-Marne, et ils sont administrés comme tous les autres départements. Cependant le préfet de police, responsable de l'ordre public dans tout l'ancien département de la Seine, exerce son autorité dans les départements de Paris, Hauts-de-Seine, Seine-Saint-Denis et Val-de-Marne. De plus un préfet régional sert de coordinateur pour résoudre les problèmes communs à toute cette région.

LE SYSTEME ÉLECTORAL ET LES FONCTIONNAIRES

1. Le suffrage masculin a été voté en 1848. Depuis cette date tous les Français de sexe masculin, ayant atteint leur majorité (21 ans) peuvent voter. Depuis 1946 les Françaises ont été admises à voter; on peut donc vraiment l'appeler de nos jours le suffrage universel.

Chaque électeur vote pour un candidat qui représente généralement un parti politique, et comme ces derniers sont nombreux en France, il y a beaucoup de candidats entre lesquels les électeurs doivent choisir. Si un candidat réunit la majorité absolue des suffrages (la moitié plus un) il est élu au premier tour de scrutin. Sinon on procède à un second tour et l'élection est faite à la majorité relative, c'est-à-dire que celui qui reçoit le plus grand nombre de voix est alors élu. Entre les deux tours de scrutin il y a un certain nombre de désistements en faveur des candidats les mieux placés au premier tour.

Les élections ont lieu le dimanche et le bureau de vote est ouvert toute la journée. Le vote est secret, chaque électeur passe à son tour dans un isoloir et ensuite il dépose son bulletin de vote dans une urne. Le compte des votes est fait en public par les employés du bureau électoral qui se trouve à la mairie ou dans les écoles ou tout autre bâtiment public mais jamais chez un particulier.

Pour pouvoir voter il faut être inscrit sur une liste d'électeurs. On ne peut naturellement s'inscrire que dans un seul endroit qui dépend de l'adresse personnelle de l'électeur. On peut s'inscrire tous les ans

Quelques affiches électorales. (*Allard*).

entre le premier et le dix décembre. Il faut ensuite attendre six mois avant d'avoir la possibilité de voter à cet endroit-là. Cependant, pendant ces six mois d'attente, si on est déjà inscrit sur une autre liste, on peut aller voter à son bureau de vote précédent ou bien on peut le faire par correspondance.

2. Les Partis Politiques—qui se sont multipliés sous la Troisième et la Quatrième Républiques, du fait de l'individualisme des Français, des circonstances historiques et du système électoral—sont beaucoup moins nombreux maintenant parce que la Cinquième République a affaibli l'autorité du Parlement et a rendu le "régime des partis" beaucoup moins efficace. Il en reste cependant un certain nombre qui couvre toute la gamme des opinions politiques: depuis l'extrême droite nationaliste, attachée aux traditions et à l'Église, favorisant un gouvernement autoritaire; en passant par le parti radical, au centre, plus modéré, partisan d'une politique nationale laïque et même anticléricale, représentant la petite bourgeoisie et les classes moyennes; et puis par le parti socialiste, parti de masse, désirant la nationalisation de toute l'économie du pays; jusqu'à l'extrême gauche, le parti communiste, dépendant de Moscou et se basant sur les principes politiques et économiques du marxisme.

3. Les Fonctionnaires. Dans une société où le gouvernement joue un rôle de plus en plus important, le nombre des fonctionnaires a augmenté d'une façon considérable depuis un siècle. Ils sont souvent malmenés et traités de "ronds-de-cuir"; ce sont eux cependant qui ont permis au régime républicain de survivre aux difficultés politiques et d'assurer sa continuité. Les fonctionnaires sont tous choisis

sur examen, en dehors des influences politiques. Les hauts fonctionnaires, les grands directeurs des ministères, les diplomates, sortent, en général, de l'École Nationale d'Administration. Ils montrent souvent un sens élevé de leurs responsabilités; travailleurs infatigables, les plus importants sont, en somme, comme les grands barons de l'industrie, des meneurs d'hommes et des réalisateurs et ils poursuivent un but, souvent lointain, pour le bien général.

LA DÉCENTRALISATION

Depuis quelques années, le gouvernement s'efforce de réformer l'Administration pour alléger la machine administrative et rapprocher les citoyens des pouvoirs qui régissent leur sort en donnant plus d'importance aux préfets.

D'autre part le gouvernement cherche à diminuer la concentration industrielle de la région parisienne (où habite 1/6e de la population) pour redonner de la vitalité à la province; pour répartir les activités nationales d'une façon plus équitable et plus profitable; enfin pour utiliser au maximum les ressources du pays.

Dès 1950 les départements ont été groupés en régions, ce qui a permis aux organisateurs du plan économique d'appliquer leurs programmes. Vingt-deux régions ont été créées en 1960, basées sur des aspects géographiques et historiques, sur les activités économiques, agricoles et industrielles, et sur l'influence des villes principales et des universités. Le préfet régional s'occupe du développement de sa région, non seulement au point de vue économique mais dans tous les autres domaines: urbanisme, routes, aménagement des campagnes, développement des parties dépeuplées et autres problèmes.

Questions

LE GOUVERNEMENT
1. Quand la Cinquième République a-t-elle été établie?
2. Qui exerce le pourvoir exécutif? Décrivez ses attributions.
3. Que fait le Premier Ministre après sa nomination par la Président? Quelles sont les attributions du Premier Ministre?
4. Qu'est-ce que la Constitution de 1958–62 s'est efforcée de faire? Pourquoi?
5. A qui appartient le pouvoir législatif? Décrivez ces deux assemblées.
6. Quelle est une des innovations de la nouvelle Constitution? Expliquez.

7. Quelles lois le Parlement peut-il voter? Qui établit l'ordre du jour des débats? Le Parlement domine-t-il le gouvernement? Pourquoi?
8. Que savez-vous des différents Conseils et Organes spécialisés?
9. Le pouvoir judiciaire est-il indépendant des pouvoirs exécutif et législatif? Qu'est-ce qui garantit cette indépendance?
10. Quels sont les principes de base du pouvoir judiciaire?
11. Quelles sont les quatre juridictions principales?

L'ADMINISTRATION DE LA FRANCE
1. Qu'est-ce qui représente l'Administration centrale? Combien de ministères y a-t-il?
2. Nommez les principaux ministères et expliquez leurs fonctions.
3. Parlez du service militaire en France.
4. Qu'est-ce que le Plan français? Quels sont les organismes qui le dirigent? Et ceux qui font exécuter les directives?
5. Comment la France est-elle divisée administrativement? Depuis quand? Combien de départements y a-t-il?
6. Nommez les départements d'outre-mer et les territoires.
7. Quelles sont les divisions des départements?
8. Parlez des deux assemblées des départements, de leurs membres et de leurs fonctions.
9. Qui sont les principaux administrateurs du département? Où résident-ils? Que fait chacun d'eux?
10. Quelle est la nouvelle administration de la région parisienne? Nommez-en les départements. Comment sont-ils administrés?
11. Que fait le préfet de police de Paris?
12. Qui vote en France? Depuis quand? Pour qui les électeurs votent-ils?
13. Comment sont les élections?
14. Que faut-il faire pour pouvoir voter? Expliquez comment on s'inscrit et quand on peut voter.
15. Quels sont les différents partis politiques en France? Pourquoi y en a-t-il tant?
16. Y a-t-il beaucoup de fonctionnaires? Comment les appelle-t-on? Pourquoi? Comment sont-ils choisis?
17. De quelle école sortent les hauts fonctionnaires? Quelles sont leurs qualités?
18. Pourquoi le gouvernement cherche-t-il à donner plus d'importance aux préfets et à diminuer la concentration de la région parisienne?
19. Comment les départements sont-ils groupés? Combien de régions y a-t-il? Depuis quand? Que fait le préfet régional?

Sujets de Composition Française

1. Comparez le gouvernement de la France et celui des États-Unis.
2. Quels sont les avantages et inconvénients d'un gouvernement aussi centralisé que celui de la France?
3. Comparez le système électoral en France et aux États-Unis.

Une classe pour tout-petits dans une banlieue ouvrière. (*Renault*).

Chapitre 14

L'Enseignement

Historique

Les écoles publique ont été établies en France par les Romains. Détruites pendant les invasions barbares, elles ont été réorganisées par Charlemagne et mises par celui-ci sous la direction des évêques. Les universités, fondées au XIIIe siècle, comme celles de Paris, Toulouse ou Montpellier, étaient des établissements publics aussi, également dirigés par l'Église, de sorte que, pendant tout l'Ancien Régime, l'enseignement a été entièrement sous la direction des prêtres. François Ier a essayé de diminuer l'influence du clergé en fondant le Collège des Lecteurs Royaux—aujourd'hui le Collège de France—où les professeurs ont toujours été des laïques.

Toutes ces écoles n'étaient pas seulement réservées aux riches, nobles ou bourgeois, il y avait aussi des élèves pauvres qui y étaient admis, mais ceux-ci ne faisaient que très, très rarement partie des classes inférieures, et la grande masse du peuple était complètement illettrée. Les principes égalitaires du XVIIIe siècle ont amené les révolutionnaires de 1789 à demander un système d'enseignement public ouvert à tous les citoyens, parce qu'ils savaient que c'était une des meilleures façons de les rendre égaux.

La Convention a prévu trois échelons pour l'instruction de la population (décret du 15 septembre 1793):

1. L'enseignement primaire: en 1794, elle a voté des subsides pour le rendre laïque et gratuit, donc à portée de tous. L'administration

de ces écoles, très centralisée, a été établie sous le Premier Empire.

2. L'enseignement secondaire: institué par Napoléon Ier qui a fondé les lycées laïques et gratuits.

3. L'enseignement supérieur: la Convention a fondé des Écoles Centrales et des "grandes écoles" pour étendre les connaissances à la science et à l'instruction civique.

En 1833 le ministre Guizot a fait voter une loi qui établissait une école primaire dans chaque commune de France et en 1850 la liberté de l'enseignement a été assurée par la loi. En 1870, 94% des enfants d'âge scolaire étaient à l'école (publique ou privée). Les lois de 1881–82 ont définitivement établi l'enseignement laïque et gratuit à tous les échelons de l'instruction et elles ont rendu les classes élémentaires obligatoires.

Pendant la Troisième République, la classe bourgeoise a monopolisé les lycées et l'instruction secondaire, alors que les classes ouvrières passaient surtout par les écoles primaires. Beaucoup de ces élèves s'arrêtaient lorsqu'ils avaient atteint l'âge de quitter l'école. Cependant les enfants doués pouvaient continuer leurs études et préparer les examens d'entrée aux grandes écoles et aux universités au même titre que les autres. Les bourses du gouvernement, décernées chaque année, sont réservées aux jeunes gens pauvres: pour en obtenir une il faut être parmi les premiers de sa classe scolaire et il faut que le revenu des parents ne dépasse pas une certaine somme.

A côté de l'enseignement public, il y a des établissements privés laïques ou religieux. Depuis les lois de 1951 et de 1959 ceux-ci reçoivent une subvention—très discutée—du gouvernement. Cependant tous les diplômes sont décernés par l'État aux étudiants qui ont été reçus à un examen. Les examens sont tous publics et gratuits, offerts par l'État également. Il n'est pas obligatoire de suivre des cours déterminés pour pouvoir se présenter à un examen universitaire; tout le monde peut s'y inscrire et il suffit d'être reçu pour avoir automatiquement le titre. On peut également se présenter aux examens autant de fois qu'il est nécessaire pour être reçu, mais, naturellement, certains étudiants sont obligés d'abandonner et de faire d'autres projets s'ils ont échoué plusieurs fois. Du reste on se présente chaque année à différents examens ou concours d'entrée aux grandes écoles, espérant être reçu à l'un d'eux.

Les Ecoles

L'ADMINISTRATION ACTUELLE

Sauf pour certaines écoles spécialisées (Armée, Marine, Agriculture) l'administration de toutes les écoles publiques dépend du Ministère de l'Éducation Nationale. Les programmes sont déterminés par des conseils de professeurs à l'échelle nationale et départementale. Les fonctionnaires—administrateurs et professeurs—sont nommés par le ministre suivant leurs titres ou diplômes; ils appliquent partout les mêmes programmes et, en théorie, les mêmes méthodes d'enseignement. En réalité ils jouissent de beaucoup de liberté dans l'exercice de leurs fonctions.

Le territoire est divisé en 23 régions appelées académies qui sont dirigées par un recteur, nommé par le ministre. Il a sous ses ordres des inspecteurs qui s'occupent des écoles primaires, secondaires et techniques, de la santé, des sports, etc. Des représentants du gouvernement local, des administrateurs, des professeurs et des instituteurs assistent le recteur et les inspecteurs sous forme de conseils, comités et commissions. Bien que n'ayant qu'un rôle consultatif, ceux-ci ont beaucoup d'influence en matière d'administration et de programmes scolaires.

Le gouvernement a fait de grands efforts depuis plusieurs années pour améliorer les conditions d'enseignement. Entre 1958 et 1964, le programme de construction a produit 64.000 classes nouvelles dans les écoles élémentaires, 28.000 dans les écoles secondaires et 13.300 dans les collèges techniques, ainsi que des bâtiments universitaires, de nouvelles bibliothèques, des dortoirs, restaurants, etc. Le Cinquième plan économique donne priorité aux dépenses pour l'éducation sur toutes les autres dépenses. En 1968 le budget de l'éducation se montait à 20.519,500 millions de francs, soit environ 16,48% du budget national.

Le nombre des étudiants a doublé depuis la dernière guerre et a atteint 12 millions en 1968, à peu près un quart de la population totale! (Il y a environ 21 millions de producteurs sur une population totale de 50 millions d'habitants.) Cette augmentation des effectifs scolaires est due:

1. Au surcroît de naissances.

2. Au fait que l'école obligatoire se termine à 16 ans depuis le début de 1968 au lieu de 14 ans.

3. Au mouvement ascendant des classes inférieures vers les classes supérieures qui s'accentue de plus en plus car les parents veulent que leurs enfants aient une meilleure instruction et une meilleure situation que la leur.

L'instruction est gratuite et laïque dans toutes les écoles publiques, à tous les niveaux de l'enseignement. Elle est actuellement obligatoire de 6 à 16 ans.

LES PROGRAMMES

1. L'école obligatoire commence à 6 ans. Cependant le gouvernement entretient des établissements qui s'occupent des enfants plus jeunes dont la mère travaille, si elle n'a pas les moyens de faire garder l'enfant à la maison.

(a) Il y a d'abord des crèches et garderies gratuites qui prennent les tout-petits de moins de 2 ans, mais elles sont encore en nombre insuffisant, surtout dans les grandes villes où la proportion des mères qui travaillent est la plus élevée.

(b) Avec les écoles élémentaires il y a des jardins d'enfants et des écoles maternelles pour les petits de 2 à 6 ans. Ce sont des classes gratuites, non-obligatoires, où les méthodes employées pour la préparation de ces enfants sont très originales, inspirées en partie par les systèmes Montessori et Decroly. En général les enfants de 6 ans savent déjà au moins lire, écrire et compter avant d'entrer à l'école élémentaire.

2. De 6 à 11 ans les enfants sont à l'école élémentaire où l'enseignement est le même pour tous. Ils apprennent la lecture, l'orthographe; ils font des rédactions; on leur donne des connaissances de base en littérature, en mathématiques, en sciences, en histoire et en géographie. Ce programme est complété par des leçons sur des questions morales et civiques, des classes d'art, de musique; de couture et de cuisine pour les filles, de travaux manuels pour les garçons; et de culture physique.

3. Les différents cycles d'instruction—longs ou courts—commencent vers 12 ans, mais le gouvernement est en train d'effectuer des changements. Puisque l'école obligatoire a été prolongée jusqu'à 16 ans, l'administration a décidé de donner exactement la même instruction générale à tous les étudiants pendant au moins deux ans de plus avant de les obliger à se spécialiser.

La télévision scolaire dans une école primaire.

Les réformes effectuées en 1960 et 1963 ont eu pour but d'offrir à tous les enfants une éducation basée sur leurs aptitudes personnelles. Il y a quatre catégories d'enseignement après le cycle d'observation qui dure deux ans. Chaque catégorie dure plus ou moins longtemps et se termine par un diplôme. Il est possible de changer de catégorie en cours d'étude car les élèves sont observés par des "conseils d'orientation" qui peuvent les placer dans des classes spéciales, faisant communiquer les catégories entre elles.

(a) L'enseignement court comprend des cours d'instruction générale et des classes spécialisées: agriculture, métiers, commerce, ouvriers spécialisés. Les élèves obtiennent à 14 ans un "diplôme de fin d'étude" qui indique leur spécialité professionnelle. Ils peuvent continuer les études pendant deux ans de plus et obtenir un "certificat d'aptitude professionnelle" qui leur permet de trouver de meilleurs emplois.

Un lycée technique.

(b) En suivant la voie de l'enseignement technique après les deux ans du cycle d'observation, l'élève peut entrer dans un lycée ou collège technique qui lui donnera le titre d'"agent technique" vers 16 ans et, deux ans plus tard, celui de "technicien breveté" qui est équivalent au baccalauréat. Ces jeunes gens obtiennent des postes de commande dans le commerce, l'industrie ou l'agriculture.

(c) L'enseignement général court, qui comprend des études académiques avec un minimum de cours théoriques ou abstraits, se termine par le "brevet d'enseignement général" et prépare les employés de bureau.

(d) On se prépare pour le baccalauréat et l'université ou les grandes écoles en suivant les cours d'enseignement général long. (Le baccalauréat ou "bachot" ne comprend plus qu'une partie.) Ces études sont d'abord séparées en trois sections, deux classiques et une moderne puis elles sont redivisées en quatre sections classiques les deux dernières années (sciences, sciences humaines, latin ou latin grec avec une ou deux langues vivantes) et en deux sections modernes (sciences avec deux langues vivantes et sciences expérimentales avec une langue vivante seulement).

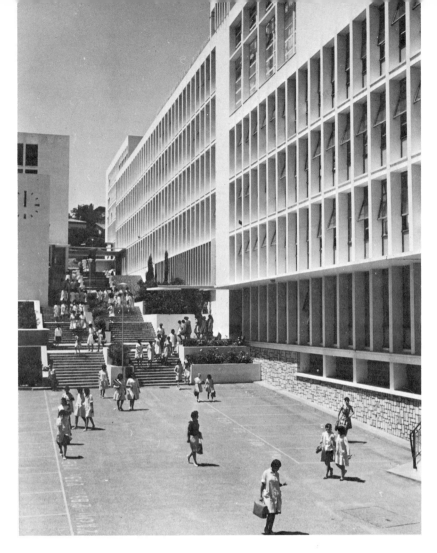

Un lycée de jeunes filles. (*Allard*).

L'ENSEIGNEMENT SUPÉRIEUR

1. Il y a une université dans presque toutes les régions académiques. Elles comprennent de trois à cinq facultés: sciences, lettres et sciences humaines, droit et sciences économiques, médecine, pharmacie. De plus, l'université de Strasbourg a une faculté de théologie catholique et protestante.

Il y a aussi des établissements catholiques d'enseignement supérieur, mais leurs élèves doivent passer les examens d'État pour

La faculté de Droit de Strasbourg.

La faculté des Sciences de la Halle aux vins, à Paris.

obtenir les diplômes tels que baccalauréat, licence, agrégation et doctorat, qui ne sont donnés que par les facultés de l'université.

N'importe qui peut suivre les conférences données par les professeurs des universités; elles sont complètement gratuites, mais les étudiants qui veulent obtenir des diplômes avancés doivent avoir au moins le baccalauréat (ou certains autres diplômes acceptés par l'administration) et ils doivent payer un droit d'inscription minime d'environ quatre à six dollars.

Il faut quatre ans d'études pour obtenir la licence (il y a aussi une "licence appliquée" après deux ans d'étude); L'agrégation est un concours. Chaque année il y a un certain nombre de postes vacants dans les lycées et ceux qui sont reçus (suivant leur placement sur une liste après un examen difficile) ont automatiquement une position; les premiers choisissent les meilleurs postes, les autres prennent les moins bons jusqu'aux derniers qui sont obligés d'accepter ceux qui restent. Il faut avoir l'agrégation avant de pouvoir obtenir le titre de docteur d'État qui ne s'obtient qu'après soutenance d'une thèse, vrai travail d'érudition qui prend plusieurs années. Les professeurs ou maîtres de conférence dans les universités doivent avoir le doctorat d'État pour enseigner les lettres ou les sciences dans les établissements d'enseignement supérieur. Pour le droit, la médecine et la pharmacie ils doivent être agrégés de l'enseignement supérieur, un autre titre obtenu aussi par concours. Les maîtres assistants sont chargés de certains cours et sont seulement agrégés de l'enseignement secondaire. Les répétitions sont données aux élèves par des lecteurs ou moniteurs sous la direction d'un professeur en titre.

2. Il y a certaines écoles supérieures qui ne sont pas rattachées à l'université et où les études sont d'un niveau encore plus élevé.

(a) Le Collège de France—fondé en 1530 par François Ier— existe toujours. Les professeurs, universitaires ou non, sont nommés par le chef de l'État suivant proposition de l'Institut de France et des professeurs qui exercent à ce collège. Il y en a une cinquantaine qui établissent leurs programmes suivant leurs recherches scientifiques ou littéraires. Michelet, Renan, Bergson, Valéry y ont été professeur. On suit ces cours simplement pour s'instruire et ils sont ouverts gratuitement à tous ceux qui veulent y assister.

(b) Le Museum national d'Histoire Naturelle, au Jardin des Plantes, illustre depuis Buffon, a une collection de premier ordre et on y donne des cours scientifiques très avancés, publics et gratuits.

3. Les "grandes écoles" sont des instituts techniques supérieurs qui préparent les meilleurs cerveaux du pays à différentes carrières; les étudiants ayant au moins le baccalauréat y sont admis après un concours d'entrée qui demande une haute intelligence et un niveau de connaissances bien supérieur à celui du baccalauréat. On s'y prépare pendant deux ou trois ans après le "bachot" par des études spéciales. Pour ceux qui sont reçus, environ un sur dix candidats, ces études sont entièrement gratuites et comprennent souvent l'internat. Il faut également passer un examen à la fin des études avant d'obtenir le diplôme. Voici les principales de ces grandes écoles qui sont très nombreuses:

(a) Les Écoles Normales Supérieures forment des professeurs pour l'enseignement et les recherches.

(b) Il y a de nombreuses écoles d'ingénieurs telles que l'École des Mines, des Ponts et Chaussées, des Eaux et Forêts, l'École Centrale des Arts et Manufactures, l'École Supérieure d'Électricité. Il y a environ 120 écoles d'ingénieurs dont 83 sont publiques. Le niveau des études et leur contenu sont assez variables, et les études y durent en général trois ou quatre ans.

(c) L'École Polytechnique, fondée en 1794, prépare les étudiants à des postes d'ingénieur civil ou militaire. Il y a aussi plusieurs académies militaires comme l'École de Saint-Cyr, l'École Navale et l'École de l'Air. Ces quatre écoles dépendent du ministère des Armées.

(d) Parmi les autres écoles il y a l'École des Hautes Études Commerciales qui prépare les experts comptables et chefs de bureau. Les élèves qui sortent de l'École Nationale d'Administration forment les cadres administratifs supérieurs dans les bureaux du gouvernement. L'École des Chartes prépare à des carrières d'archiviste et de bibliothécaire. Il y a aussi des instituts d'études politiques.

(e) L'enseignement agricole supérieur se fait à Grignon, Rennes et Montpellier. L'Institut National Agronomique est encore plus avancé.

(f) Les écoles supérieures d'art sont l'École Nationale Supérieure des Beaux-Arts, l'École Nationale Supérieure des Arts Décoratifs, le Conservatoire National Supérieur de Musique, le Conservatoire National Supérieur d'Art Dramatique.

Au total les grandes écoles groupaient, en 1967, environ 45.000

L'École Nationale Supérieure d'Agronomie à Grignon.

étudiants dont certains, d'ailleurs, étaient également inscrits dans les facultés.

4. Les cours d'adultes ou cours du soir existaient déjà au XIXᵉ siècle mais il y en avait peu. Depuis la dernière guerre mondiale, le gouvernement a reconnu l'importance des classes d'adultes. Il a établi tout un programme de cours du soir comprenant 251.000 étudiants, et de cours par correspondance comptant actuellement 78.000 inscrits. Ces classes donnent à la population la possibilité de s'adapter aux exigences de la vie moderne et d'améliorer sa situation financière. A ce sujet, il faut aussi mentionner le Conservatoire National des Arts et Métiers, fondé en 1819, qui ne donne que des cours du soir et qui touche surtout les ouvriers. Il y a plus de 20.000

élèves actuellement au conservatoire de Paris et environ 16.000 dans les centres de province.

Les Français vont donc beaucoup plus longtemps à l'école pour obtenir un métier, et les travaux de manœuvre sont de plus en plus exécutés par des étrangers (2 millions en 1965) venant de pays moins privilégiés. De plus, comme aux États-Unis, il est très difficile de trouver des domestiques car hommes et femmes préfèrent travailler dans un bureau, un magasin ou une usine, ce qui leur donne plus d'indépendance.

Renseignements généraux sur l'instruction en France

1. Les garçons et les filles vont généralement dans des écoles différentes jusqu'à l'université ou les grandes écoles, mais les écoles mixtes deviennent de plus en plus nombreuses.

En général, les parents surveillent attentivement les notes scolaires et le père ou la mère contrôle si l'enfant a fait ses devoirs et lui fait même réciter ses leçons. Les devoirs à la maison—très courts pour les enfants de six ans—deviennent de plus en plus nombreux au fur et à mesure que les études avancent et il n'est pas rare de voir des jeunes gens de quinze ou seize ans travailler tard tous les soirs et même les jours de repos (jeudi et dimanche).

2. Il faut noter également que les études en France sont basées sur le principe de "réussite aux examens," sur l'idée que la vie en société est un combat continuel pour "arriver," que l'émulation et la compétition dans les études forment le caractère. Tout le monde y est habitué et accepte cette idée. Ainsi, pendant toute leur vie d'écolier ou d'étudiant, les jeunes gens se préparent à "passer un examen." Si on échoue, on redouble sa classe. Les élèves brillants, par contre, sautent des classes et terminent leurs études plus tôt que les autres.

3. Le degré d'instruction se reconnaît par l'étendue des connaissances de l'individu. En effet, depuis l'âge de six ans, l'enfant a, à peu près, les mêmes classes tous les ans. Les leçons augmentent en difficulté et en profondeur chaque année. Les classes secondaires continuent le même genre d'enseignement avec des classes nombreuses et variées en plus des classes de la spécialisation. On y

ajoute une langue vivante ou le latin vers l'âge de onze ans et une autre langue deux ou trois ans plus tard. De cette façon, à la fin des études (même si elles se terminent de bonne heure), les jeunes gens ont un bon bagage de connaissances générales—sur de nombreux sujets—que les Français considèrent comme essentielles pour une personne instruite.

4. En ce moment, il y a cependant des changements pédagogiques importants dans l'instruction. Les dirigeants ont reconnu qu'elle s'attachait trop à l'accumulation des connaissances et négligeait le développement de la personnalité et l'adaptation à la vie. Depuis 1946 des classes spéciales forment des classes pilotes pour étudier les changements pédagogiques envisagés et adopter ceux qui donnent les meilleurs rendements. On a donc étudié le travail libre par groupes et le travail dirigé au lieu de la leçon donnée par le professeur. De plus on a établi le système d'orientation pour déterminer, en accord avec la famille, les aptitudes des élèves et étudiants et pour leur suggérer le meilleur programme à suivre. On a établi aussi le dossier scolaire où l'on inscrit tout ce qui a trait à l'élève.

L'Institut Pédagogique National dirige les expériences, reçoit la documentation et étudie les résultats obtenus; le Centre International d'Études Pédagogiques applique certaines méthodes nouvelles dans son lycée pilote où des professeurs français et étrangers font des stages. De plus, l'École des Parents, fondée en 1928, s'occupe des problèmes entre élèves et parents.

On pourrait croire que l'enseignement français basé sur les connaissances apprises par cœur, sur l'autorité incontestée du maître (la note de conduite à l'école est très importante), sur l'uniformité des programmes dans tout le pays, ne forme que des gens sans personnalité, "moutons de Panurge." Il n'en est rien car, ainsi que le décrit le chapitre suivant, les Français sont en général de grands individualistes à l'esprit critique et à l'esprit de synthèse très développés.

Questions

HISTORIQUE

1. Qui a établi les écoles publiques en France? A quel moment ont-elles été détruites? Qui a réorganisé les écoles? A qui en a-t-il donné la direction?
2. Est-ce que les universités étaient des établissements publics? Etaient-elles laïques?

3. Qui a établi un collège laïc? Comment s'appelait ce collège? Et maintenant?
4. Est-ce que toutes ces écoles étaient réservées aux riches? Quels élèves y étaient admis? Comment était la grande masse du peuple?
5. Qu'est-ce que la Convention a prévu pour l'instruction? Expliquez comment sont ces trois échelons.
6. Quels sont les différents changements apportés à l'enseignement pendant le XIXᵉ siècle?
7. Qu'est-ce qu'une bourse? Qui en donne en France? A qui sont-elles décernées? Comment?
8. Quelle est l'attitude du gouvernement vis-à-vis des écoles privées?

LES ÉCOLES
1. Comment les écoles sont-elles administrées?
2. Comment la France est-elle divisée pour les écoles? Qui dirige ces divisions? Qui sont les aides? Quel est le rôle des autorités locales?
3. Qu'est-ce que le gouvernement a fait pour améliorer les conditions d'enseignement?
4. Quel pourcentage du budget national est réservé à l'éducation?
5. Combien d'étudiants y avait-il en France en 1968? A quoi est due l'augmentation des effectifs scolaires?
6. Quelles sont les écoles et les classes établies pour les moins de six ans? Sont-elles payantes? Quelles sont les méthodes employées pour ces enfants?
7. Quels sont les programmes des classes élémentaires?
8. Quel a été le but des réformes de 1960 et 1963?
9. Combien de catégories d'enseignement y a-t-il après le cycle d'observation? A quoi sert ce dernier?
10. Peut-on changer de catégorie en cours d'étude? Pourquoi et comment?
11. Quelle est la première catégorie? Qu'y apprend-on? Comment s'appellent les diplômes?
12. Parlez de l'enseignement technique.
13. Qu'est-ce que l'enseignement générale court? Expliquez.
14. Que savez-vous de l'enseignement général long?
15. Combien d'universités y a-t-il en France? Comment fonctionnent-elles?
16. Que faut-il faire pour obtenir des diplômes avancés? Quels sont ces diplômes? Comment les obtient-on?
17. Nommez deux établissements où les études sont d'un niveau plus élevé que l'université et dites comment ils fonctionnent.
18. Qu'est-ce que les grandes écoles? Comment y entre-t-on? Comment s'y prépare-t-on? Pendant combien de temps après le "bachot"?
19. Nommez plusieurs de ces écoles et dites à quoi elles préparent.
20. Expliquez ce que sont les cours d'adultes et qui les suit.
21. Qui exécute de plus en plus les travaux de manœuvre? Pour quelle raison? Pourquoi est-il difficile de trouver des domestiques?

1. Est-ce que les parents surveillent le travail scolaire des enfants? Comment?
2. Sur quoi les études sont-elles basées en France? Que font les élèves brillants? Et ceux qui sont en-dessous de la moyenne?
3. Par quoi reconnaît-on le degré d'instruction d'un individu en France? Pourquoi? Qu'est-ce que les Français pensent des connaissances générales?
4. Quels sont les changements pédagogiques actuels?
5. Qu'est-ce qu'un "mouton de Panurge"? Ce trait de caractère s'applique-t-il aux Français? Expliquez.

Sujets de Composition Française

1. Que pensez-vous du système français d'enseignement? Expliquez-vous et donnez des exemples pour prouver votre point de vue.
2. L'Enseignement français s'adresse surtout à une élite, a-t-on dit. Etes-vous d'accord? Prouvez votre point de vue.
3. Expliquez pourquoi on peut dire que les études en France sont basées sur le principe de "réussite aux examens." En est-il de même aux États-Unis? Quel système vous plaît le mieux?

Un paysan.

Chapitre 15

Les Français
et la vie
en France

Les Caractéristiques des Habitants

Nous avons vu dans les premiers chapitres de ce livre que les Français sont les descendants de différents groupes ethniques qui se sont superposés les uns aux autres: Celtes ou Gaulois, Romains, peuples germaniques (les Francs) et scandinaves (les Vikings). De plus la France a toujours attiré de nombreux étrangers: Espagnols et Italiens (XVIe et XVIIe siècles), Polonais (XVIIIe) et Russes (XIXe et début XXe). Maintenant ce sont surtout des travailleurs espagnols, et nord-africains qui viennent en France (les étrangers constituent actuellement 6% de la population). Il n'y a donc pas de "race" française à proprement parler. Tous ces apports ont formé un "alliage" unique et ils ont contribué à la complexité du caractère des Français. On a souvent dit que ceux-ci doivent leur esprit d'indépendance et leur individualisme aux Celtes; leur amour du droit, de l'ordre et de la beauté formelle aux Latins; leur esprit d'initiative aux Normands; et leur génie constructif aux Germains.

A cette diversité de races il faut ajouter les différences géographiques qui accentuent encore plus les tendances opposées du caractère de ses habitants. En effet, la France est à la fois un pays atlantique—ouvert vers le large et les grands espaces; un pays continental où l'homme est foncièrement attaché à la terre; un pays méditerranéen en contact direct, dans l'espace, avec l'Afrique et l'Orient et, dans le temps, avec des civilisations très développées qui sont parmi les plus anciennes de la Terre.

Ces tendances opposées se reflètent dans le tempérament et le caractère des Français: comme la France est un pays agricole, ses habitants sont avant tout des paysans réalistes, terre à terre, sédentaires et économes. Cependant l'esprit chevaleresque idéaliste, si développé au Moyen Age, persiste encore de nos jours. Les Français préfèrent rester chez eux au lieu d'aller à l'étranger. Malgré cela ils ont bâti d'immenses empires coloniaux. Ce sont aussi de grands individualistes qui ont développé à l'extrême la vie en société. Ils ont beaucoup de bon sesn, l'esprit clair et logique, mais leurs actions sont souvent basées sur la fantaisie et l'intuition.

Tant de contradictions font le charme de ce peuple intéressant et déconcertant et il n'est pas étonnant que les étrangers aient beaucoup de mal à le comprendre.

La Population

RÉPARTITION DE LA POPULATION

La France est un pays de plus de 50 millions d'habitants (chiffre basé sur le recensement de 1968) dont environ 70% habite la ville et 30% la campagne.

C'est un pays où la densité de la population est relativement faible: 86 par km^2 au lieu de 218 en Allemagne de l'Ouest et de 216 au Royaume-Uni. Cependant cette moyenne de densité augmente depuis 1945 car la population qui était restée stationnaire après la Première Guerre mondiale a recommencé à s'accroître. En effet les natalités ont monté de 15 à 18 pour mille habitants, la mortalité infantile a diminué en quelques années, et la durée moyenne de vie s'est allongée.

Cette situation crée un déséquilibre entre les différents segments de la population: 33,9% ont moins de 20 ans et 12,3% 65 ans et plus; il y a d'autre part 11,8% des personnes entre 20 et 64 ans qui ne travaillent pas (étudiants et mères de famille).

Ceci ne laisse que 42% ou 21 millions de personnes actives, ce qui occasionne une partie des difficultés financières actuelles. Par contre le chrômage est presque inexistant (1%) et la France accepte l'immigration des travailleurs étrangers pour compenser son manque de main-d'œuvre.

L'augmentation de la population est due en partie aux progrès de la médecine, en partie à une certaine confiance dans l'avenir et surtout aux efforts du gouvernement pour améliorer les conditions de vie.

1. Aide aux Travailleurs. Du fait des changements apportés par la nouvelle structure économique, environ une personne active sur quatre a vu sa situation professionelle se modifier depuis 1959. Pour permettre aux salariés de s'adapter, le gouvernement a pris certaines mesures importantes:

(a) Etablissement d'une Bourse Nationale de l'Emploi, avec bureaux régionaux, permettent de mettre en présence les offres (d'emploi) et les demandes (de travail) du pays tout entier.

(b) Allocation d'indemnités de recherche d'emploi, de double résidence et de frais de déménagement, en plus des allocations de chômage garantissant aux travailleurs 85% de leur salaire ainsi que des payments supplémentaires pour charges de famille.

(c) Création de Centres de Formation Professionnelle des Adultes qui forment ou perfectionnent chaque année plus de 40.000 travailleurs. Tous les travailleurs, y compris les immigrants étrangers peuvent, au cours d'un stage de quelques semaines ou de quelques mois, apprendre un métier qui leur permettra de gagner leur vie.

2. Les Lois Sociales. Aujourd'hui, la Sécurité Sociale offre à tous les Français et travailleurs étrangers une protection contre les principaux risques de l'existence: la maladie, l'invalidité, la maternité et la vieillesse. C'est un organisme privé—sous la tutelle de l'État— dont les membres sont élus par les assurés eux-mêmes, et qui reçoit et dépense chaque année une somme égale à la moitié du budget du pays.

(a) L'assurance-maladie couvre environ 75 à 80% des frais médicaux—hôpitaux, médicaments, dentistes, optométristes, etc.—et donne une indemnité journalière pendant la maladie.

(b) La pension de vieillesse dépend de différentes conditions de cotisation mais, salarié ou non, qu'il ait cotisé ou non, tout français âgé de soixante-cinq ans et plus a droit à une retraite minimum de 2.300 francs par an. En cas de décès l'époux survivant continue de toucher la moitié de la pension.

(c) Les allocations familiales comprennent des payments faits avant et après la naissance de son enfant à toute femme résidant en

France, sans condition de nationalité. Pour obtenir ces payments elle doit se faire examiner trois fois pendant la grossesse par un docteur d'un centre médical et y emmener son enfant un an après la naissance. D'autre part des assistantes sociales suivent la mère et l'enfant jusqu'à l'entrée de celui-ci à l'école, où il est surveillé par le service d'hygiène scolaire. Ce sont ces soins qui ont amené la baisse de la mortalité infantile.

Les allocations familiales comprennent aussi une indemnité de logement pour les familles nombreuses et surtout des payments mensuels à toute personne ayant au moins deux enfants. Ces allocations varient suivant le nombre et l'âge des enfants. L'âge limite de quinze ans est reculé à dix-huit ans si l'enfant est placé en apprentissage et à vingt ans s'il continue ses études.

3. Le Service de Santé. En dehors des avantages ci-dessus, le gouvernement continue à créer de nouveaux hôpitaux, crèches, garderies d'enfants, centres de toutes sortes pour les jeunes et les adultes et à fonder des foyers, maisons de retraite et hospices pour les vieillards.

LES CLASSES SOCIALES

Elles comprennent trois tranches de la société:

1. Les paysans, ou cultivateurs, qui cultivent eux-mêmes leurs fermes—soit seuls, soit avec l'aide de quelques ouvriers agricoles. Très individualistes et attachés à leurs coutumes, ils commencent cependant à accepter les méthodes modernes de travail qui leur permettent un meilleur rendement de leurs terres et de là une augmentation de revenus. Avec la radio, la télévision et les communications par le chemin de fer et l'automobile, leur genre de vie a beaucoup changé et ressemble de plus en plus à celui des habitants des villes. Leurs habitations sont plus confortables: ils ont généralement l'électricité, le gaz en bouteille, l'eau courante, le téléphone et des appareils ménagers modernes.

2. Les ouvriers—souvent fils de paysans—sont tous les travailleurs salariés qui gagnent leur vie en faisant des travaux manuels. Ils font partie de syndicats ou unions ouvrières qui défendent leurs intérêts. Leur sort s'est beaucoup amélioré depuis les années trente. Il y a d'abord eu la semaine de 40 heures avec salaire plus élevé pour les heures supplémentaires. Maintenant ils ont au moins trois semaines

Sortie d'usine près de Paris. (*Renault*).

de congé payé par an. Les assurances sociales et allocations familiales les aident à équilibrer leur budget. Ils ont aussi plus de sécurité
dans leur travail qu'autrefois car le gouvernement contrôle les
remerciements en masse des grandes usines et il établit les taux de
salaire minimums qui sont révisés régulièrement.

Cette classe se divise, d'une part, en ouvriers spécialisés qui
sortent généralement d'une école professionnelle et dont les salaires
sont assez élevés, et, d'autre part, en ouvriers non-qualifiés ou
manœuvres qui ont une paye très basse.

Grands ensembles modernes de logements à prix modérés à Sarcelles
dans la banlieue parisienne. (*Suguet-Allard*).

Les logements d'ouvriers sont encore bien petits et manquent de
confort moderne. Cependant le gouvernement aide les compagnies
ou les particuliers qui veulent faire construire si bien qu'il y a
actuellement un nombre considérable de nouveaux logements. Ceux-
ci comprennent des immeubles à loyer modéré subventionnés par le

gouvernement. Ainsi l'habitation, les salaires et les conditions de vie s'améliorent continuellement.

3. La bourgeoisie que l'on peut diviser en trois parties:

(a) La petite bourgeoisie qui comprend les petits commerçants, les artisans et toutes sortes d'employés.

(b) La bourgeoisie moyenne: techniciens, administrateurs, chefs de bureau, chefs d'entreprises moyennes, écrivains, artistes, professeurs, médecins, avocats, etc.

(c) La haute bourgeoisie qui se compose de grands industriels, banquiers, hauts fonctionnaires: tous ceux qui exercent un rôle prépondérant dans le gouvernement, l'administration, et l'économie du pays, ainsi que les membres les plus éminents des professions libérales.

(Il reste encore des membres de la noblesse mais celle-ci ne forme plus une classe à part et s'incorpore à une des classes ci-dessus, suivant la position de la personne dans la société. Les hommes d'É'glise n'ont plus qu'une importance minime en politique qui dépend de l'individu plutôt que du groupe.)

On a souvent reproché aux bourgeois leur esprit mesquin, leur opportunisme, leur matérialisme qui donne trop d'importance à l'argent. Cependant dans une société en évolution, déchirée par plusieurs révolutions, bouleversée par les nouvelles industries, ce sont les bourgeois qui ont donné à la France sa stabilité et qui lui ont permis de maintenir une place importante dans le monde. De toute façon la société bourgeoise s'est affinée avec le temps; ses défauts les plus graves se sont estompés; et elle a fourni à la France ses éléments les plus brillants dans tous les domaines.

La Vie en France

LA FAMILLE

L'importance de la famille est reconnue par le gouvernement qui a créé en 1944 un Ministère de la Population avec une sous-direction de la Famille. A cette date il fondait également l'Institut National d'Études Démographiques. La première loi sur les allocations familiales datant de 1932 a été modifiée en 1945 pour la rendre plus efficace.

La famille française est très unie. Le père est considéré comme le chef de famille. Il a plus d'autorité et de prestige qu'en Amérique. En collaboration avec sa femme, il s'occupe activement de l'éducation et de l'instruction de ses enfants. Les rapports entre parents et enfants sont généralement très étroits, même après la majorité de ces derniers, surtout s'ils ne sont pas mariés. Dans ce cas ils habitent bien souvent avec leurs parents.

On ne reçoit chez soi que les différents membres de la famille et les amis intimes car la vie en famille est une chose presque sacrée que l'on ne partage pas avec tout le monde. On voit les autres personnes au café ou au restaurant. Les étrangers qui viennent en France trouvent la société française bien fermée et ils en sont parfois vexés ; mais cet état de choses ne leur est pas réservé car il s'applique aussi bien aux Français qu'aux autres. De plus, cela tient au fait qu'on ne peut recevoir un étranger (soit français, soit d'une autre nationalité) "sans façon." Cela ne se fait pas! La maîtresse de maison doit donc offrir un repas de cérémonie qui représente un travail énorme, alors qu'il est bien plus facile d'aller au restaurant.

La femme a toujours eu beaucoup d'importance en France. Au Moyen Age la chevalerie courtoise lui avait voué un vrai culte. Il est vrai que la littérature bourgeoise, antiféministe, se moquait d'elle et qu'elle avait légalement moins de liberté que les hommes, mais cela ne lui retirait en rien la place prépondérante qu'elle avait dans la société. La vie de salon, qui s'est developpée de bonne heure en France et qui a continué jusqu'à nos jours, a contribué à maintenir la femme dans une position avantageuse. Cependant elle n'a réussi à s'émanciper qu'au début du XXe siècle et elle n'a obtenu le droit de vote qu'en 1946. Maintenant elle est considérée comme l'égale de l'homme et la partenaire de son mari.

Il y a une femme sur dix qui est célibataire et une femme sur deux qui travaille au-dehors. Elle peut maintenant, sans déchoir, travailler pour gagner sa vie et la loi lui garantit un salaire égal à celui de l'homme pour le même travail. Il y a beaucoup de femmes mariées qui ont un emploi et leur nombre augmente constamment, mais cela ne semble pas avoir encore trop désuni la famille.

LES REPAS

Les Français ont de tous temps aimé bien boire et bien manger. La cuisine est un art qui se pratique aussi bien par la ménagère—qui

Ce qu'on appelle un
bon repas!

se trouverait déshonorée si elle ne savait pas préparer des petits plats fins—que par le cuisinier des grands restaurants. Apprendre à faire la cuisine est une des occupations des jeunes filles et les spécialités culinaires de la mère (et de la belle-mère après le mariage) se transmettent de génération en génération. Voici les divers repas des Français:

1. Le petit déjeuner qui comprend un bol de café noir, de café au lait ou de chocolat, avec des tartines, des petits pains beurrés ou des croissants.

2. Les paysans, les ouvriers et les écoliers prennent souvent un casse-croûte au milieu de la matinée qui comprend un morceau de pain avec du fromage ou du saucisson.

3. Au milieu de la journée, vers midi ou une heure, il y a le déjeuner (qui s'appelle le dîner dans certaines régions). Si cela est possible toute la famille se réunit, sinon on va souvent au restaurant et les enfants vont à la cantine de l'école. On mange généralement un hors-d'œuvre ou de la soupe, un plat de viande ou de poisson avec un légume, de la salade ou du fromage et du dessert. On boit du vin pendant le repas et du café "demi-tasse" après.

Les bureaux, les petites boutiques et les ateliers d'artisans sont souvent fermés de midi à deux heures. Les ouvriers des usines ont généralement une heure pour déjeuner.

4. Vers quatre heures de l'après-midi, les enfants prennent du pain avec une tablette de chocolat pour leur goûter.

5. Les dames et les demoiselles qui se rendent visite prennent le thé à cinq heures avec des gâteaux ou des petits fours.

6. Le dîner (ou souper dans quelques provinces) a lieu tard, vers sept ou huit heures du soir. C'est le repas de famille qui commence presque toujours par un potage et qui ressemble beaucoup au repas de midi.

Les dimanches et jours de fête ces repas comprennent plus de plats et on les arrose avec des vins fins, alors que pendant la semaine on boit du vin ordinaire souvent coupé d'eau. Ces jours-là on déguste aussi des liqueurs avec le café. Pour certaines occasions telles qu'un baptême, une première communion ou un mariage, le repas devient un vrai festin et on reste à table pendant des heures!

LES FETES ET CONGÉS

1. La grande fête nationale est le 14 juillet qui commémore la prise de la Bastille de 1789 et la fin de l'Ancien Régime. C'est une fête populaire qui commence par un défilé, presque toujours militaire, avec musique en tête. Le soir il y a des feux d'artifice et des bals en plein air dans les rues et sur les places publiques des villes et villages.

2. Les fêtes religieuses sont importantes: Pâques, avec le lundi de Pâques, l'Ascension, la Pentecôte, l'Assomption, la Toussaint et Noël. Elles découlent de la tradition car la grande majorité de la population (80%) est encore catholique (2% sont protestants et moins de 1% sont israélites). Bien que certains Français (surtout des hommes) soient anticléricaux, les enfants sont généralement baptisés et ils font leur première communion solennelle. De plus, on se marie et on est enterré à l'église.

3. Les fêtes civiles sont le Jour de l'An; la fête du Travail le 1er mai; la fête de Jeanne d'Arc et l'armistice du 8 mai 1945 qui sont commémorés le même jour; l'armistice du 11 novembre 1918 qui est aussi observé par un jour de congé. On espère que ces fêtes tomberont près du week-end pour pouvoir faire le pont.

4. Les fêtes de fin d'année sont peut-être les plus aimées de la population. Le Père Noël—ou saint Nicolas dans certains provinces —apporte des jouets aux enfants qui ont mis leurs souliers dans la

Les coupoles de la
basilique du Sacré-
Cœur éclairées par
le feu d'artifice du
14 juillet.

Depuis quelques
années la ville de
Paris offre à ses
habitants un
gigantesque sapin
de Noël.

cheminée. Les devantures des grands magasins, toutes illuminées, sont remplies de jouets animés pendant plusieurs semaines avant Noël. C'est un spectacle inoubliable pour les petits.

La veille de Noël on va à la Messe de Minuit qui se célèbre dans toutes les églises et ensuite on fait le réveillon chez soi ou au restaurant. Les plats de rigueur sont une dinde et une bûche de Noël, délicieux gâteau qui a la forme d'une bûche de bois. Le jour de Noël il y a un repas de famille et les enfants reçoivent tous des cadeaux de toute la famille (on échange moins de cadeaux entre grandes personnes qu'aux États-Unis).

Pour le Jour de l'An on donne des étrennes en argent au personnel des maisons de commerce, à ceux qui ont fourni un service pendant l'année, comme la concierge et le facteur et on donne des cadeaux aux fournisseurs. On fait encore un réveillon la veille au soir; à minuit on s'embrasse sous une branche de gui et on boit beaucoup de champagne. Le Jour de l'An on va rendre visite aux parents âgés: grands-parents, grands-oncles et tantes, vieux cousins, etc., et on leur apporte généralement des fleurs ou une plante fleurie.

5. En plus de ces fêtes, écoliers et étudiants ont deux semaines de congé à Noël et à Pâques pendant lesquelles beaucoup de jeunes gens partent faire des sports d'hiver dans les montagnes ou de la pêche sous-marine en Méditerranée. En été ils ont les grandes vacances du début de juillet au 15 ou 20 septembre. Depuis 1936 les travailleurs ont tous des vacances payées par les patrons. Les dirigeants essaient d'échelonner les vacances de leur personnel sur les mois d'été; malgré cela les régions touristiques françaises renommées regorgent de monde pendant cette saison car les étrangers y viennent aussi à ce moment-là. Il est donc difficile, sinon impossible, de trouver des chambres libres dans les hôtels à moins d'en avoir retenu longtemps à l'avance.

LES DISTRACTIONS

Le Français, souvent casanier, aime rester chez lui pendant les jours de repos. C'est un grand liseur et les œuvres classiques pénètrent de plus en plus dans les milieux ouvriers grâce aux éditions brochées à bon marché, comme le livre de poche, et aux bibliothèques publiques. Celles-ci datent de 1839, mais leur nombre a augmenté et leur organisation a été modernisée en 1939. (La

Bibliothèque Nationale à Paris, héritière de la bibliothèque royale fondée par François Ier en 1537 pour recevoir un exemplaire de tous les ouvrages publiés en France—le dépôt légal obligatoire—comprend plusieurs millions de livres, cartes, gravures, documents, estampes, médailles, etc. On ne peut les voir que lorsqu'ils sont exposés, car cette bibliothèque ne fait aucun prêt de livres. Les érudits peuvent cependant obtenir un permis pour les consulter sur place.)

Le Français écoute beaucoup la radio, il discute de politique avec ses amis; et maintenant la télévision (il y a près de six millions d'appareils en France) le tient encore plus à la maison. L'homme va souvent au café où il joue au billard ou aux cartes. D'autre part, le citadin—qui rêve de se retirer à la campagne où il aura une petite maison avec des parterres de fleurs, des arbres fruitiers en espalier et un jardin potager—sort de la ville le dimanche et les jours fériés pour aller se promener, faire un pique-nique ou du camping dans les bois, à la plage, ou au bord d'une rivière ou d'un lac.

S'il sort, le Français va surtout au cinéma, sa distraction favorite, mais le théâtre et les concerts sont aussi très goûtés, même en province où des troupes d'acteurs et des orchestres importants font régulièrement des tournées.

Le football est, avec le cyclisme, un des sports les plus populaires de France.

Sur les quais de la Seine des pêcheurs pleins d'espoir ne prennent jamais rien!

261

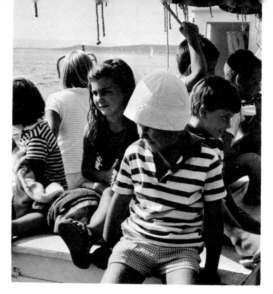

En vacances. (*Club Méditerranée*).

Parmi les sports, le cyclisme tient la première place en France car c'est le moyen de locomotion le plus économique. Les courses de "vélo" et surtout le "Tour de France"—qui a lieu tous les ans en juillet, depuis 1903—passionnent les Français autant que le "base-ball" passionne les Américains.

Tous les sports sont plus ou moins en vogue: tennis, natation, yachting, sports d'équipe, sports athlétiques, sports de montagne; l'équitation et le golf sont pratiqués par les plus fortunés; le jeu de boule se joue beaucoup dans le Midi. Cependant, depuis des siècles, la chasse et la pêche ont plus d'adeptes que tous les autres sports.

Questions

LES CARACTÉRISTIQUES DES HABITANTS
1. De qui les Français sont-ils les descendants?
2. Le caractère des Français est-il complexe? Pourquoi? Quels sont les principaux traits de caractère des Français? A qui les doivent-ils?
3. Qu'est-ce qui accentue encore plus les tendances opposées de leur caractère? Expliquez.
4. Montrez les tendances contradictoires du tempérament français.

LA POPULATION
1. Combien d'habitants y a-t-il en France? Quel est le pourcentage pour les villes et pour la campagne? La densité de la population française est-elle semblable aux autres pays européens?
2. Qu'est-ce qui permet à la population de s'accroître?
3. Y a-t-il assez de travailleurs? Pourquoi? Que fait le gouvernement pour compenser le manque de main d'œuvre?
4. Qu'est-ce que le gouvernement a créé pour aider les travailleurs à s'adapter à la nouvelle structure économique?

5. Qui a droit à la Sécurité Sociale? Est-ce une institution d'État? Qui la dirige? Quel est son budget?
6. Que couvre l'assurance-maladie? Qui a droit à la pension de vieillesse? En quoi consistent les allocations familiales?
7. Qu'est-ce que le gouvernement continue à faire pour améliorer la vie de la population?
8. Quelles sont les différentes classes sociales? Décrivez-les.
9. La noblesse et le clergé ont-ils encore de l'importance comme classes sociales?
10. Qu'est-ce qu'on reproche aux bourgeois? Qu'est-ce qu'ils ont donné à la France? Comment sont les bourgeois maintenant?

LA VIE EN FRANCE

1. La famille est-elle importante? Qu'est-ce que le gouvernement a fait pour la famille?
2. Comment est la famille française? Expliquez.
3. Qui reçoit-on chez soi? Où reçoit-on les autres? Pourquoi?
4. Quelle était l'importance de la femme en France au Moyen Age? Qu'est-ce qui a contribué à maintenir la femme dans une position avantageuse? Quand s'est-elle émancipée?
5. Quel est le rôle de la femme maintenant dans la société?
6. La cuisine est-elle un art en France? Pourquoi? Qui pratique cet art?
7. Quels sont les divers repas et leurs menus?
8. Comment sont les repas les jours de fête? Qu'est-ce qu'on prend? Quand fait-on un vrai festin?
9. Quelle est la grande fête nationale française? Que commémore-t-elle? Que fait-on ce jour-là?
10. Quelles sont les fêtes religieuses? Pourquoi existent-elles toujours? Quelles sont les activités religieuses des Français?
11. Nommez les fêtes civiles.
12. Que veut dire "faire le pont"?
13. Que se passe-t-il pendant les fêtes de fin d'année?
14. Où vont les jeunes gens pendant les vacances de Noël et de Pâques? Que font-ils? Que se passe-t-il en France en été?
15. Que font généralement les Français casaniers? Quelle est leur distraction favorite?
16. Que savez-vous de la Bibliothèque Nationale?
17. Nommez d'autres distractions des Français.
18. Quels sont les sports pratiqués par les Français?

Sujets de Composition Française

1. La vie en France vous semble-t-elle intéressante? Aimeriez-vous y habiter? Pourquoi?
2. Est-ce que les principes démocratiques sont bien observés en France? Expliquez en donnant des exemples.
3. Les Français ont la réputation d'avoir des mœurs légères. Qu'en pensez-vous?

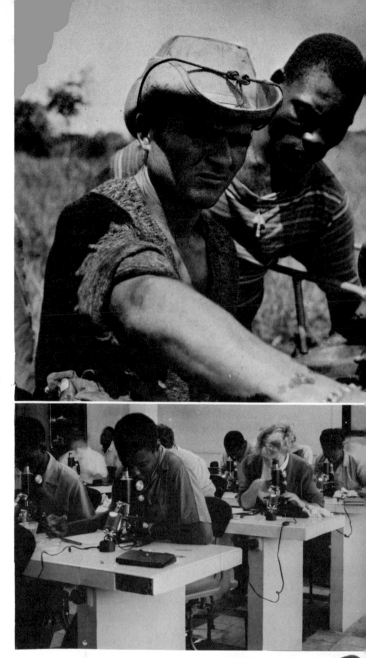

Un volontaire
explique à ses
élèves le
fonctionnement d'un
moteur.

Les élèves
pharmaciens de
l'université de
Dakar étudient dans
un laboratoire.

Au centre de
l'Afrique, un
ingénieur donne un
cour (*Merschtitt*).

Epilogue

La France
dans le monde

Depuis des siècles, la France exerce une grande influence sur de nombreux pays par sa langue et sa littérature, par ses mouvements artistiques et ses réalisations scientifiques. Actuellement, c'est une nation qui a des responsabilités politiques et économiques dans le monde entier.

1. La Langue Française. Pendant longtemps, le français a été la langue diplomatique par excellence parce qu'elle est claire et précise. C'est maintenant une des langues officielles des Nations Unies avec l'anglais, l'espagnol et le russe. Cela tient au fait qu'elle est employée comme langue principale dans de nombreux pays (32 sur 115 aux Nations Unies) et comme seconde langue dans beaucoup d'autres.

Il y a des écoles françaises, soit catholiques, soit laïques, comme celles de l'Alliance française, des lycées français et des instituts attachés à des universités françaises en dehors de France, c'est-à-dire environ quinze cents établissements qui enseignent le français à plus d'un million et demi d'étrangers.

2. La Communauté Française. Elle comprend les anciennes colonies, devenues indépendantes politiquement puisqu'elles ont leur propre gouvernement, mais qui ont conservé des liens culturels et économiques étroits avec la France: l'Algérie, le Maroc, la Tunisie, treize pays africains, la République Malgache de Madagascar, le Cambodge, le Laos et le Viet-Nam. La France fait actuellement un effort énorme pour développer ces nouvelles nations: envoi de professeurs et d'experts; aide financière, économique et technique;

accueil de stagiaires dans les industries et d'étudiants dans les écoles de France. Tout ceci devrait, assez rapidement, permettre à ces pays de remonter leur niveau de vie et de se suffire à eux-mêmes.

3. L'Aide aux Pays Sous-développés. La contribution de la France est la plus élevée après celle des États-Unis et avant celle de la Grande Bretagne, de l'Allemagne de l'ouest et du Japon. Cette aide représente 1,47% de son économie nationale totale—pourcentage supérieur même à celui des Etats-Unis. Cette aide se répartit comme suit: 80% à la communauté française et 20% à d'autres pays tels que le Congo-Léopoldville, le Liban, l'Iran, l'Amérique latine, l'Inde et le Pakistan.

D'autre part, en plus de cette aide directe, la France participe, en hommes et en argent, au développement des pays sous-développés par ses contributions aux organisations internationales des Nations Unies. C'est en grande partie à cause de son active participation aux différents organismes de l'UNESCO (Organisation des Nations Unies pour l'éducation, la science et la culture) que le bureau central de cette organisation internationale se trouve à Paris.

4. Le Marché Commun. Depuis la dernière guerre mondiale, la France et les pays de l'Europe de l'Ouest ont reconnu qu'il leur était difficile de survivre seuls économiquement. Ils ont donc décidé de s'unir pour exploiter et échanger leurs ressources agricoles et industrielles. En 1952, la "Communauté européenne du charbon et de l'acier" a été créée. Elle comprend six pays: la France, la Belgique, la Hollande, le Luxembourg, l'Allemagne de l'Ouest et l'Italie.

En 1958 ces même pays ont organisé la "Communauté économique européenne" ou "Marché Commun," qui permet un échange libre de marchandises et de travailleurs, qui établit la cooperation économique et qui supprime les barrières douanières entre ces pays. La même année, la création de l'"Euratom" a établi un système de coopération entre ces six nations pour faire des recherches sur l'énergie nucléaire afin de pouvoir l'utiliser dans un but économique.

5. Le Rayonnement Artistique Français. Les étrangers apprécient beaucoup, depuis de nombreuses années, les productions artistiques françaises. Les œuvres des principaux écrivains ont été traduites dans toutes les langues; celles des peintres et sculpteurs sont exposées dans de nombreux musées étrangers, et le gouvernement français organise, de temps en temps, des expositions d'œuvres venant des musées nationaux et les envoie aux pays intéressés. De

Un des barrages de la Côte d'Ivoire que les ingénieurs de la compagnie *Electricité de France* ont aidé à construire.

plus, le cinéma français est de renommée mondiale. Les meilleurs films sont très goûtés car les metteurs en scène français cherchent souvent à en renouveler les techniques et la présentation pour éviter de suivre continuellement les chemins battus. Enfin, il y a également des acteurs de théâtre et des musiciens qui font, avec succès, des tournées dans le monde entier.

6. La Gastronomie Française. Les Français ont toujours aimé faire bonne chère et de grands chefs célèbres comme Vatel, Carême ou Escoffier ont contribué à développer la science culinaire française au plus haut degré et à en faire vraiment un art. Parmi tous les aspects de la civilisation française, c'est un de ceux qui sont les plus connus du monde entier.

7. Conclusion. Pendant plus de mille ans, la France a tenu un rôle prépondérant dans les affaires européennes et mondiales. Son histoire, comme l'océan, s'étend en une série de flux et de reflux, et il semble que plus bas elle tombe, plus haut elle remonte. Par exemple, la Guerre de Cent Ans a été suivie de la Renaissance et les Guerres de Religion, de l'Age Classique. Il suffit que le pays soit en danger pour que la grande majorité des Français se rallie aux "trois couleurs": Ainsi la Résistance pendant la dernière guerre mondiale a réuni tous les partis politiques et ils ont travaillé ensemble contre

les envahisseurs pour la libération. Malheureusement, avec la prospérité, renaît l'esprit de parti qui a tendance à éparpiller les efforts des gouvernants.

Actuellement, le pays est en plein essor économique, industriel et démographique. L'accroissement des naissances crée un déséquilibre maintenant puisque le nombre des travailleurs n'augmente pas encore, mais ce handicap n'est que temporaire car les jeunes vont bientôt commencer à produire. Comme le potentiel du pays est tel que celui-ci pourrait nourrir sans difficulté deux fois plus d'habitants qu'à l'heure actuelle, cette augmentation de la population devrait contribuer à accroître la richesse dans tout le pays.

Malgré ses problèmes financiers et politiques, la France est donc à même de tenir une place enviable dans le monde. Souhaitons qu'il en soit toujours ainsi.

Questions

1. Par quoi la France exerce-t-elle une influence sur le monde? Quelle est l'importance de la langue française?
2. Y a-t-il des écoles françaises à l'étranger? Expliquez.
3. Qu'est-ce que la communauté française? Qu'est-ce que la France fait pour elle?
4. Comment la France aide-t-elle les pays sous-développés?
5. La France contribue-t-elle aux organisations internationales des Nations Unies? Comment?
6. Qu'est-ce que les pays de l'Europe de l'Ouest ont reconnu après la dernière guerre mondiale? Qu'est-ce qui a été créé en 1952? Combien de pays en font partie?
7. Qu'est-ce que ces pays ont organisé en 1958? Quelle est l'importance du Marché Commun? Qu'est-ce que l'Euratom?
8. Parlez du rayonnement artistique français dans le monde. En quoi consiste-t-il? Est-ce important?
9. Quelle est l'importance de la gastronomie française dans le monde?
10. Comment peut-on décrire l'histoire de la France? Que se passe-t-il lorsque le pays est en danger? Et en temps de prospérité?
11. Est-ce que la France est restée stationnaire depuis la dernière guerre mondiale? Que se passe-t-il? Quel est le potentiel du pays?

Sujets de Composition Française

1. Qu'est-ce qui vous a le plus intéressé ou surpris au sujet de la civilisation française?
2. A votre avis, peut-on dire que la France a une place enviable dans le monde? Pourquoi?

Vocabulaire Français-Anglais

Il comprend tous les mots employés dans le texte, sauf ceux qui sont identiques ou très similaires dans les deux langues et les mots de base tels que pronoms sujet ou objet, formes des verbes irréguliers, jours de la semaine, nombres, etc.—que les élèves doivent savoir à ce niveau.
Le sens donné aux mots est celui qu'ils ont dans le texte.
Les abréviations suivantes ont été employées:

adj. adjectif	*m.* masculin	*pl.* pluriel
adv. adverbe	*n.* nom	*prép.* préposition
conj. conjonction	*p.p.* participe passé	*pron.* pronom
f. féminin	*p. prés.* participe présent	*v.* verbe

a

à, *prép.* at, to, from, in, by, on, with
abaisser, to lower, to bring down, to reduce
abattre, to knock down, to pull down
abdiquer, to abdicate
abord, *m.* approach
   d'abord, *adv.* first, at first
aborder, to land, to arrive at, to accost
aboutir, to end up, to lead to
abréger, to shorten
abri, *m.* shelter, cover
abstrait, -e, *adj.* abstract
accentuer, to stress, to increase
accident de terrain, *m.* irregularities of the ground
accidenté, -e, *adj.* hilly
accomplir, to perform, to carry out
accord, *m.* agreement
accorder, to grant, to harmonize
accouchement, *m.* childbirth, confinement
accrocher, to fasten
accroissement, *m.* increase
accroître, to increase
accueil, *m.* reception, welcome
achat, *m.* purchase
acheter, to buy, to purchase
acier, *m.* steel
aciérie, *f.* steelworks
acquérir, to acquire, to buy, to obtain

acte, *m.* document
actuel, -le, *adj.* present
actuellement, *adv.* right now, at the present time
adjoint, *m.* councilman
admettre, to admit, to allow, to concede
adonner, s' (à), to devote oneself to
aérien, -enne, *adj.* aerial, airy
affaiblir, to weaken
   s'affaiblir, to become weak
affiche, *f.* poster
affiner, s', to become more refined
affluent, *m.* tributary
afflux, *m.* flocking
afin de, *prép.* in order to
afin que, *conj.* in order that
agencement, *m.* arrangement
agir, to act, to do, to operate
   s'agir de, to be a question of
agneau, *m.* lamb
agrément, *m.* pleasure, charm
agricole, *adj.* agricultural
   grande exploitation agricole, *f.* large-scale farming
agriculteur, *m.* farmer
aide, *f.* help, aid
   à l'aide de, with the help of
aider, to help
aigle, *m.* eagle
aigu, -e, *adj.* acute, keen
aiguille, *f.* needle
aile, *f.* wing
ailé, -e, *adj.* winged

ailleurs, *adv.* elsewhere
aimer, to love
aîné, -e, *adj.* elder, eldest
ajouter, to add
aliment, *m.* food
alimenter, to feed
alléger, to lighten
Allemagne, *f.* Germany
allemand, -e, *adj.* German
Allemand, *n.* German
allier, s', to become allies, to unite
allonger, to lengthen
  s'allonger, to become longer
alors, *adv.* then, at that time, therefore
alors que, whereas
amarrer, to moor, to berth
âme, *f.* soul, mind
amélioration, *f.* improvement
améliorer, to improve
aménagement, *m.* set-up
aménager, to arrange, to plan, to establish, to organize
amener, to bring
ameublement, *m.* furnishings, furniture
ami, *m.* friend
ami intime, *m.* close friend
amical, -e, *adj.* friendly
amitié, *f.* friendship
amour, *m.* love
amour fou, passionate love
amoureux, -se, *adj.* loving, in love with
ampleur, *f.* amplitude, fullness
ancêtre, *m.* ancestor
ancien, -ienne, *adj.* old, ancient, former
anglais, -e, *adj.* English
Anglais, *n.* Englishman
Angleterre, *f.* England
angoissant, -e, *adj.* distressing, agonizing
angoisse, *f.* anguish, pain, anxiety, agony
annonce, *f.* announcement, notification, advertisement
annoncer, to announce, to herald, to proclaim
antan, *m.* yesteryear
antichambre, *f.* waiting-room

août, *m.* August
aperçu, *m.* glimpse
appareil, *m.* apparatus, device
appareil de prise de vues, *m.* movie camera
appareil de projection, *m.* movie projector
appareil ménager, *m.* household appliance
appartenir, to belong
appeler, to call
  s'appeler, to be called, to be named
appliquer, to apply
  s'appliquer, to apply oneself
apporter, to bring
apprendre, to learn, to teach
apprendre par cœur, to memorize
apprentissage, *m.* apprenticeship
appris, -e, *adj.* learned
après, *prép.* after, behind
  d'après, *prép.* according to
araignée, *f.* spider
  toile d'araignée, *f.* spider web
arc-boutant, *m.* flying buttress
ardoise, *f.* slate
argent, *m.* silver, money
argenté, -e, *adj.* silvery, silver-plated
armature, *f.* frame
armée de l'air, *f.* air force
armée de terre, *f.* land forces
arracher, to tear up, to tear away, to uproot, to wrench, to take by force
arrêt, *m.* stop, sentence, decree
arrêter, to arrest, to stop
arrière, *m.* back, rear
arrière-pays, *m.* back country
arrière-petit-fils, *m.* great-grandson
arriver, to arrive, to happen
arriver à, to manage
arrondi, -e, *adj.* rounded
arroser, to water, to irrigate, to wash down
artère, *f.* artery
ascenseur, *m.* elevator
assassiner, to murder
assiéger, to besiege
assiette, *f.* plate
assister, to help
assister à, to attend
assoiffé de, thirsty for

assomoir, *m.* bludgeon, club, anything which will stun or stupefy, like alcohol

assurance maladie, *f.* sickness insurance

assurance sociale, *f.* social security

assurance vieillesse, *f.* old age pension

astre, *m.* celestial body

atelier, *m.* shop, workshop

athée, *adj.* atheistic

athée, *m. & f.* atheist

attacher, to attach, to tie

    s'attacher à, to apply oneself, to do one's utmost

atteindre, to attain, to reach

(en) attendant, *adv.* in the meanwhile

attendre, to await

    s'attendre à, to expect

attirer, to draw, to attract

aucun, -e, *adj. pron.* no, not any, not anyone

aucunement, *adv.* not in the least

au-dessus, *adv.* above

augmenter, to increase

aujourd'hui, *adv.* today

aussi, *adv. & conj.* also, too; so, therefore

aussi bien que, as well as

autant (de), as much, as many, etc.

    d'autant plus, so much more

auteur, *m.* author

autocar, *m.* bus

autoritaire, *adj.* authoritarian

autoroute, *f.* parkway, freeway

autoroute à péage, turnpike

autour de, *prép.* around

autre, *adj.* other

autrefois, *adv.* formerly

Autriche, *f.* Austria

autrichien, -ne, *adj.* Austrian

Autrichien, *m.* Austrian

(à l') avance, beforehand

avare, *m. & f.* miser

avènement, *m.* accession to the throne

avenir, *m.* future

avion, *m.* airplane

avis, *m.* opinion, advice

    à votre avis, in your opinion

avocat, *m.* lawyer

avoine, *f.* oats

avoisinant, -e, *adj.* neighboring, nearby

b

badiner, to trifle, to joke

baigner, to bathe

baigneur, *m.;* **baigneuse,** *f.* bather

baiser, to kiss

baiser, *m.* a kiss

baisser, to lower, to let down

banc, *m.* school (of fish), shoal

banlieue, *f.* suburbs

    petite banlieue, *f.* immediate area around Paris

    grande banlieue, *f.* area further away

baptême, *m.* christening, baptism

baptiser, to christen, to baptise

barbare, *adj.* barbaric

barbare, *m.* barbarian

barque, *f.* small boat

barrage, *m.* dam

bas, -se, *adj.* low, base, vile

base, *f.* basis, foundation

    à la base de, the origin of

basilique, *f.* basilica

bassin, *m.* pond, artificial lake

bataille, *f.* battle

batailleur, -se, *adj.* who likes to fight, quarrelsome

bateau, *m.* boat

batelier, *m.* boatman

bâtiment, *m.* building; building trade

bâtir, to build

battre, to beat

    se battre, to fight

    abattre, to knock down, to pull down

battu, -e, *adj.* beaten

bavard, -e, *adj.* talkative

beau, bel, belle, *adj.* beautiful, handsome

beaucoup (de), *adv.* much, many

belette, *f.* weasel

berceau, *m.* cradle

berger, *m.* shepherd

besoin, *m.* need

    avoir besoin de, to need

    au besoin, *adv.* if need be

bétail, *m.* (*pl.* bestiaux), cattle

betterave, *f.* beet

beurre, *m.* butter

beurré, -e, *adj.* buttered
bibliothécaire, *m. & f.* librarian
bibliothèque, *f.* library
bien, *adv.* well
  si bien, so well
  bien que, although
  bien-être, *m.* well-being
bien, *m.* advantage, right, good
biens, *m. pl.* possessions
bienfaisant, -e, *adj.* beneficial
bienfait, *m.* blessing
bientôt, *adv.* soon
bière, *f.* beer
biniou, *m.* breton bagpipes
blanc, -che, *adj.* white
blanchir, to become white, to get white, to whiten
blanchisseuse, *f.* laundress
blé, *m.* wheat
blessé, -e, *adj.* wounded
bœuf, *m.* ox
boire, to drink
bois, *m.* wood
  en bois, made of wood
boisé, -e, *adj.* woody, wooded
boiserie, *f.* woodwork
  boiserie apparente, visible beams
boîte, *f.* box
  boîte de nuit, *f.* nightclub
bol, *m.* bowl
bombarder, to bomb, to shell
bon, -ne, *adj.* good, kind
bondé, -e, *adj.* overcrowded, jammed
bonheur, *m.* happiness
  avec bonheur, with good results
bord, *m.* edge, shore
  au bord de, *prép.* at the edge of
  en bordure de, bordering on
borne kilométrique, *f.* milestone (for kilometers)
bouc, *m.* billy goat
boucherie, *f.* butcher shop
boucle, *f.* curve, curl
boule, *f.* ball
bouleau, *m.* birch-tree
bouleversé, -e, *adj.* upset, turned upside down
bouleverser, to disturb, to upset
bourgeois, *m.* man of the middle class
bourgeois, -e, *adj.* middle-class, commonplace

(le) Bourgeois gentilhomme, *m.* The Would-be Gentleman
bourgeoisie, *f.* the middle class
Bourguignon, *m.* Burgundian (native of the province of Burgundy)
bourse, *f.* purse, scholarship
Bourse, *f.* stock exchange
Bourse Nationale de l'Emploi, National Labor Exchange
bout, *m.* end
bouteille, *f.* bottle
  en bouteille, bottled
boutique, *f.* store, shop
bovin, *m.* the oxen family
brebis, *f.* ewe
Bretagne, *f.* Brittany
brillant, -e, *adj.* superior
briser, to break
broché, -e, *adj.* paper-bound
brûler, to burn
  brûler sur le bûcher, to burn at the stake
brusquement, *adv.* suddenly
bruyère, *f.* heather
bûche, *f.* log
bûche de Noël, *f.* Yule log
bûcher, *m.* stake
bureau, *m.* desk, office
  chef de bureau, *m.* office manager
but, *m.* goal, mark, aim

c

cacher, to hide
cadeau, *m.* gift
cadre, *m.* frame, setting
cadres, *m. pl.* officials
calcul, *m.* calculation
calvaire, *m.* Calvary
camion, *m.* truck
campagne, *f.* country, campaign
canard, *m.* duck
cantatrice, *f.* female professional singer
caoutchouc, *m.* rubber
car, *conj.* for, as, because
caractère, *m.* character, characteristic, temper, disposition
carême, *m.* Lent

cargo, *m.* freighter
carré, -e, *adj.* square
carrefour, *m.* crossroads, intersection
carrière, *f.* career
carrosserie, *f.* automobile body
carte, *f.* map, card, menu
carton, *m.* cardboard
cas, *m.* case, instance
  en cas de, in case of
casanier, -ière, *adj.* stay-at-home
casse-croûte, *m.* snack
cassé, -e, *adj.* broken
casser, to break
(à) cause de, because of
céder, to yield
ceinture, *f.* belt
célèbre, *adj.* famous
céleste, *adj.* celestial
célibataire, *adj.* unmarried, single
celle, *pron.* this, that; **celles,** these, those
celui, *pron.* this, that
celui-ci, *pron.* this one, the latter
celui-là, *pron.* that one, the former
cendres, *f. pl.* ashes
cependant, *adv.* however, meanwhile
certain, -e, *adj.* some, certain, fixed
cerveau, *m.* brain
cesser, to cease, to stop
c'est-à-dire, that is to say, i.e.
ceux, those
chacun, -e, *pron.* each
chair, *f.* flesh
chaleur, *f.* heat
chambre, *f.* assembly
Chambre des Pairs, *f.* House of Lords
champ, *m.* field
champ de course, *m.* race track
champêtre, *adj.* rustic, rural
changement, *m.* change
chanson, *f.* song
chanter, to sing
chanteur, *m.* singer
chantier, *m.* yard
chantier naval, *m.* shipyard
chanvre, *m.* hemp
chaque, *adv.* each
charbon, *m.* coal
charme, *m.* hornbeam (tree)
charpente, *f.* frame, skeleton
chasse, *f.* hunt, hunting

chasser, to hunt, to chase away, to drive away
chasseur, *m.* huntsman
  le chasseur maudit, *m.* the cursed huntsman
châtaigner, *m.* chestnut-tree
château, *m.* castle, château
château fort, *m.* fortified castle, fortress
châtiment, *m.* punishment
chaud, -e, *adj.* hot, warm
chauffer, to heat
chaume, *m.* thatch
  toit de chaume, *m.* thatched roof
chauve, *adj.* bald
chef, *m.* head, leader
chef de famille, *m.* head of the family
chef de file, *m.* leader
chef-d'œuvre, *m.* masterpiece
chef-lieu, *m.* county seat
chemin, *m.* road, way, path
  à mi-chemin, half-way
chemin battu, *m.* beaten path
chemin de fer, *m.* railway
chêne, *m.* oak
chenille, *f.* caterpillar
chercher, to seek
chercher à, to try to
cheval, *m.* horse
  être à cheval sur, to straddle
cheval de course, *m.* race horse
cheval de selle, *m.* saddle horse
chevaleresque, *adj.* knightly, chivalrous
chevalerie, *f.* knighthood
chevalier, *m.* knight
chèvre, *f.* goat
chevreau, *m.* kid
chez, *prép.* at, at the home of, at the office of
chez soi, at home
chien, *m.* dog
chiffre, *m.* initials, monogram
chimie, *f.* chemistry
chimique, *adj.* chemical
chimiste, *m.* chemist
chirurgie, *f.* surgery
chirurgien, *m.* surgeon
chœur, *m.* choir
choisir, to choose
chômage, *m.* unemployment

chose, *f.* thing
  autre chose, something else, another story
  peu de choses, very little
chou, *m.* cabbage
choucroute, *f.* sauerkraut
chou-fleur, *m.* cauliflower
chrétien, -ne, *adj.* Christian
chute, *f.* fall
ci-dessus, above
ciel, *m.* (*pl.* **cieux**), sky, heaven, heavens
cierge, *m.* church candle
cigale, *f.* cicada
cimetière, *m.* cemetery
citadin, *m.* city-dweller
citer, to cite, to quote, to mention
citoyen, *m.* citizen
citronier, *m.* lemon tree
clair, -e, *adj.* clear, light
clarté, *f.* clearness, clarity
clavecin, *m.* harpsichord
clocher, *m.* steeple, belfry
clochette, *f.* small bell
cœur, *m.* heart
coiffe, *f.* headdress
coin, *m.* corner
col, *m.* collar, pass
colline, *f.* hill
colonne, *f.* column
colorier, to color
coloris, *m.* tint
combattre, to fight
combattu, -e, *adj.* opposed
commander, to order, to command
comme, *adv.* like, as, how, since
commencer, to start
comment, *adj.* how
commerçant, *m.* tradesman, shopkeeper, storekeeper
commuer, to commute
communauté, *f.* community
commune, *f.* township, smallest division of the département
communicant, -e, *adj.* communicating
communiquer, to communicate, to impart
comparé, -e, *adj.* comparative
comparer, to compare
compliqué, -e, *adj.* complicated
complot, *m.* plot

comprenant, *p. prés. de* **comprendre,** understanding
comprendre, to understand, to include
compris, -e, *adj.* understood
  y compris, including
compte, *m.* account
compter (sur), to count (on)
concentrer, to concentrate
concerner, to affect, to interest
  en ce qui concerne, concerning
concierge, *m. & f.* janitor and doorkeeper combined
condamnation, *f.* condemnation, sentence
  condamnation à mort, death sentence
conduire, to conduct, to lead, to drive
confiance, *f.* confidence, trust
confrère, *m.* colleague
congé, *m.* leave of absence
  congé payé, *m.* paid vacation
connaissance, *f.* acquaintance, knowledge
  faire la connaissance de, to get acquainted with
connaître, to know, to be acquainted with
connu, -e, *adj.* known
conquérir, to conquer
conquête, *f.* conquest
conquis, -e, *adj.* conquered
consacrer, to consecrate, to devote
conseil général, *m.* a body of elected officials who take care of the département
conseiller général, *m.* one of the men who belong to the above
(par) conséquent, *conj.* therefore, consequently
conserver, to keep
consommateur, *m.* consumer, patron (in a café)
consommation, *f.* consumption, drink (in a café)
construire, to construct
consultatif, -ve, *adj.* advisory
conte, *m.* tale
contenir, to contain
contenu, *m.* content
contenter, to please
  se contenter, to be content with

contestation, *f.* controversy
continuel, -le, *adj.* continued, constant
continuellement, *adv.* all the time
contrainte, *f.* constraint
  sans contrainte, freely
contraire, *m.* opposite
contre, *prép.* against
  par contre, in contrast, on the other hand
contrecoup, *m.* backlash, after-effect
contrefort, *m.* buttress
contremaître, *m.* foreman
contrôler, to verify, to check
convenable, *adj.* fitting, suitable, proper
convenablement, *adv.* properly
convoquer, to call, to summon
coordonner, to coordinate
cornemuse, *f.* bagpipe
corps, *m.* body
Corse, *f.* Corsica
côte, *f.* rib, coast, hill
côté, *m.* side
cou, *m.* neck
coucher, se, to put to bed, to go to bed
coucher de soleil, *m.* sunset
couler, to flow
couleur locale, *f.* local color
coup d'œil, *m.* glance
coup de théâtre, *m.* sensational development
(à) coup de, by throwing
couper, to cut
cour, *f.* court, yard, courtyard
cour d'eau, *m.* stream
courant, -e, *adj.* current
courbe, *f.* curve
couronne, *f.* crown
couronner, to crown
cours, *m.* course, class
course, *f.* errand, race
court, -e, *adj.* short
courtier en Bourse, *m.* stockbroker
courtisan, *m.* courtier
courtois, -e, *adj.* courteous, courtly
coût, *m.* cost
coûter, to cost
coûteux, -se, *adj.* costly, expensive
coutume, *f.* custom
couture, *f.* sewing

couvert, -e, *adj.* covered
couvrir, to cover
craie, *f.* chalk
crayeux, -se, *adj.* chalky
crèche, *f.* manger, crib, day-nursery
créer, to create
creuser, to dig
creux, -se, *adj.* hollow, deep
creux, *m.* hollow
crève-cœur, *m.* heartbreak
crise, *f.* crisis
critiquer, to criticize
croire, to believe
croisade, *f.* crusade
croisé, *m.* crusader
croisement, *m.* crossing, intersection
croissant, *m.* crescent-roll
croix, *f.* cross
croustillant, -e, *adj.* crisp, crusty
croyance, *f.* belief
croyant, -e, *adj.* believing
croyant, *m.* believer
cru, *m.* vintage
cru, -e, *adj.* believed
cruche, *f.* pitcher
cueillir, to gather, to pick
cuir, *m.* leather
cuisine, *f.* kitchen, cooking
cuisinier, *m.* chef, cook
cuivre, *m.* copper
cultivateur, *m.* farmer
curé, *m.* pastor, priest of a parish, curate
cyclisme, *m.* bicycling

d

d'abord, *adv.* first, at first
d'ailleurs, *adv.* moreover, besides
dame, *f.* lady
damné, -e, *adj. & n.* damned
Danemark, *m.* Denmark
dans, *prép.* in, into, within
d'après, *prép.* according to
d'autre part, on the other hand
de, *prép.* from, of, with, in, for, by
débarquer, to land
débarrasser, se (de), to rid, to get rid of
débordant, -e, *adj.* overflowing
déborder, to overflow

début, *m.* beginning
décerner, to award
décès, *m.* decease, demise
déchiffrer, to decipher
déchirer, to tear
déchoir, to lower oneself, to lose prestige
déclencher, to launch
déconcertant, -e, *adj.* disconcerting
découler, to derive
découpé, -e, *adj.* jagged
découper, to carve
découverte, *f.* discovery
décréter, to decree
décrire, to describe
dédier, to dedicate
défaut, *m.* lack, default, failure, defect
défense d'entrer, no trespassing
défilé, *m.* parade, procession
défini, -e, *adj.* defined
dégager, to define, to evolve
degré, *m.* degree, echelon
déguster, to relish, to savor
dehors, *adv.* outside
  au dehors, *adv.* away from home, on the outside
  en dehors de, *prép.* without, beyond, outside of
déjà, *adv.* already
déjeuner, *m.* lunch
  petit déjeuner, *m.* breakfast
délice, *m.* delight
déménagement, *m.* moving (from one residence to another)
démesuré, -e, *adj.* out of proportion, excessive, immoderate
demeure, *f.* dwelling
demi, -e, *adj.* half
démissioner, to resign
demoiselle, *f.* young lady
dénouement, *m.* end, solution
dentelle, *f.* lace
dépasser, to go beyond, to exceed
dépense, *f.* expense, expenditure
dépenser, to spend money
dépeuplé, -e, *adj.* depopulated
déposer, to deposit
dépourvu, -e, *adj.* devoid
depuis, *prép. & adv.* since, from, after
depuis que, *conj.* since
déraisonnable, *adj.* unreasonable

déréglé, -e, *adj.* unruly
dernier, -ière, *adj.* last, final, lowest
  ce dernier, the latter
derrière, *prép.* behind, in back of
dès, *prép.* from, since
dès aujourd'hui, right away
dès lors, *prép.* since then
désabusé, -e, *adj.* disillusioned, blasé
désemparé, -e, *adj.* at a loss, helpless
déséquilibre, *m.* unbalance
désespoir, *m.* despair
désistement, *m.* withdrawal
dessin, *m.* design, sketch, drawing
dessiner, to sketch, to draw
dessus, *adv.* on, over
  au-dessus de, *adv., prép.* above
destin, *m.* destiny, fate
détacher, se, to stand out
détourner, se, to turn away
détruire, to destroy
détruit, -e, *adj.* destroyed
devant, *prép.* before, in front of
devanture, *f.* shop-window
développer, to develop
  se développer, to evolve
devenir, to become
déverser, se, to empty
devoir, to owe, must
devoir, *m.* duty, exercise, task
devoirs, *m. pl.* homework
dévouement, *m.* devotion, self-sacrifice
diable, *m.* devil
Dieu, *m.* (*pl.* dieux), God
  familier: **le bon Dieu**
différend, *m.* dispute
différent, -e, *adj.* different, various
différer, to be different
digne, *adj.* worthy
dinde, *f.* turkey-hen
dindon, *m.* turkey-cock
dîner, *m.* dinner
dîner, to dine
diplôme, *m.* diploma
diplômé, -e, *adj.* graduated (from a school)
dire, to say
  c'est-à-dire, that is to say
dirigeant, *m.* leader
diriger, to manage, to direct, to lead
  se diriger, to head, to turn

discours, *m.* speech
discuté, -e, *adj.* much debated or disputed
discuter, to discuss
disparaître, to disappear
disparu, -e, *adj.* disappeared
disposition, *f.* arrangement
dissoudre, to dissolve, to melt
distinguer, to distinguish, to differentiate
distraire, to amuse
dit, -e, *adj.* said, called
divers, -e, *adj.* changeful, diverse, varying
diviser, to divide
domaine, *m.* domain, field
dominer, to dominate
don, *m.* power, talent
donc, *adv.* then, therefore, hence, so
donner, to give
donner sur, to face upon, open upon
dont, *pron.* of which, of whom, whose
dorade, *f.* sea-bream
dortoir, *m.* dormitory
dossier, *m.* file, record
dossier scolaire, *m.* student file
douane, *f.* customs
douanier, -ière, *adj.* customs
doué, -e, *adj.* gifted, talented
douer, to endow
douleur, *f.* pain, sorrow
doucement, *adv.* softly
doux, douce, *adj.* sweet, mild, soft
drame, *m.* drama
drap, *m.* heavy coat or suit material
dresser, se, to stand up
droit, *m.* right, privilege, law
droits seigneuriaux, *m. pl.* rights or privileges of the nobility
droit, -e, *adj.* right, straight
droite, *f.* right
dur, -e, *adj. & adv.* hard, severe(ly)
durable, *adj.* lasting
durer, to last

e

eau, *f.* water
cours d'eau, *m.* stream
eau courante, *f.* running water

ébloui, -e, *adj.* dazzled
écart, *m.* difference
écarter, to turn aside, to separate from, to keep away, to dismiss, to push aside
s'écarter, to open, to draw aside
échanger, to exchange
échapper, s', to escape
échelle, *f.* ladder
à l'échelle de, on the scale of
échelon, *m.* rung, stage, step
échelonner, to stagger, to spread out
échouer, to flunk
éclairage, *m.* lighting
éclairer, to light
éclat, *m.* brilliance
éclater, to break out
écluse, *f.* lock, tide-gate
école, *f.* school
grande école, *f.* school of higher learning
école maternelle, nursery school
école primaire, elementary school
économe, *adj.* thrifty
économie, *f.* economy, thrift
économie politique, *f.* political science
écorce, *f.* bark
écorce terrestre, *f.* earth's crust
écossais, -e, *adj.* Scotch
écouter, to listen to
écran, *m.* screen
écrire, to write
écrit, -e, *adj.* written
écrit, *m.* writing
écriture, *f.* writing, handwriting
écrivain, *m.* writer
écroulement, *m.* collapse
écueil, *m.* reef, rock
écurie, *f.* stable
effectif, *m.* manpower
effectif scolaire, *m.* school population
effectuer, to execute, to effect, to accomplish
effet, *m.* effect, result
en effet, indeed
efficace, *adj.* effective
effleurer, to cross (the mind)
effonder, s', to collapse
efforcer, s', to endeavor to, to strive
effrayé, -e, *adj.* frightened
effrayer, to frighten

égal, -e, *adj.* equal
égarer, to lose
égarer, s', to get lost
église, *f.* church
  à l'église, at church
  homme d'Eglise, *m.* churchman
égout, *m.* sewer
élevage, *m.* breeding, rearing
élève, *m. & f.* pupil
élevé, -e, *adj.* high
élever, to raise, to rear, to breed
élever, s', to be raised, to rise
éleveur, *m.* breeder, farmer
élire, to elect
  élire domicile, to choose a residence
élu, -e, *adj.* elected
éloigné, -e, *adj.* distant, removed
éloigner, s' (de), to remove, to go away from
embaumer, to make fragrant
embouchure, *f.* mouth (of a river)
emparer, s' (de), to seize
empêcher (de), to prevent, to hinder
emplir, to fill
emploi, *m.* job, employment
employer, to use
emporter, to carry away, to remove
enceinte, *f.* wall, enclosure
enchevêtrer, s', to become entangled
encombrer, to crowd
encore, *adv.* again, still
endroit, *m.* place
énergique, *adj.* energetic, strong
enfance, *f.* infancy
enfant, *m. & f.* child
enfer, *m.* inferno, Hell
enfilade, *f.* alignment of sites
enfin, *adv.* finally
engager, s', to commit oneself, to get involved
engrais, *m.* fertilizer
enluminure, *f.* illumination
énoncer, to express
énorme, *adj.* enormous
enquête, *f.* inquiry, investigation
enrichir, to make rich
  s'enricher, to become rich
enseignement, *m.* teaching
enseigner, to teach
ensemble, *m.* a whole, harmony
ensemble, *adv.* together

ensoleillé, -e, *adj.* sunny, full of sunshine
enterrement, *m.* funeral
enterrer, to bury
entier, -ière, *adj.* entire, whole, full
entourer, to enclose, to surround
entraîner, to bring about, to occasion
entre, *prép.* between, among
entrée, *f.* entrance
  examen d'entrée, *m.* entrance examination
  concours d'entrée, *m.* entrance examination on a competitive basis
entretenir, to maintain, to keep up
entretien, *m.* upkeep
envahir, to invade
envahisseur, *m.* invader
environ, *adv.* about
environs, *m. pl.* neighborhood, surroundings
envisagé, -e, *adj.* considered
envoi, *m.* forwarding, sending, dispatch
envoyer, to send
épais, -se, *adj.* thick
épanouissement, *m.* blooming
éparpiller, to scatter
épaule, *f.* shoulder
épée, *f.* sword
épopée, *f.* epic
époque, *f.* era, period, age, time
  à cette époque, at that time
épouser, to marry, to espouse
épreuve, *f.* proof, test, trial
éprouver, to test, to feel
équilibre, *m.* balance
équilibrer, to balance
équipe, *f.* team
équitation, *f.* horseback-riding
ériger, to erect
errant, -e, *adj.* roaming, roving, wandering
érudit, *m.* scholar
escalier, *m.* stairs
esclave, *m. & f.* slave
Espagne, *f.* Spain
espagnol, -e, *adj.* Spanish
Espagnol, -e, *m. & f.* Spaniard
espérer, to hope
espérance, *f.* hope

espoir, *m.* hope
esprit, *m.* mind, wit, spirit
esprit de parti, *m.* partisan spirit, partisanship
essayer, to try
essence de pétrole, *f.* gasoline
essor, *m.* flight, development, progress
estampe, *f.* print
estamper, to cheat
Estaque, a chain of hills near Marseille
estomper, s', to tone down
étable, *f.* animal shed, stable
établir, to establish
étain, *m.* tin
étang, *m.* natural pool of stagnant water, pond
étant, *p. prés.* d'être, being
étape, *f.* lap, step
état, *m.* state
    homme d'Etat, *m.* statesman
état d'âme, *m.* state of mind, feeling
état civil, *m.* vital statistics
été, *m.* summer
étendre, s', to spread, to extend, to stretch
étendue, *f.* length, expanse, stretch
éterniser, s', to drag on
étoile, *f.* star
    une mauvaise étoile, an unlucky star
étonnant, -e, *adj.* astonishing
étonner, s', to astonish, to be astonished
étranger, -ère, *adj.* foreign, strange
étranger, *m.* foreigner, stranger
    à l'étranger, abroad
être, to be
être, *m.* being, person
    bien-être, *m.* well-being, comfort, ease
être humain, *m.* human being
étrennes, *f. pl.* New Year's gift
étroit, -e, *adj.* narrow, close
étude, *f.* study
étudiant, *m.* student
étudier, to study
eux-mêmes, themselves
évader, s', to escape
Evangile, *m.* Gospel

éveiller, to awaken
événement, *m.* event
évêque, *m.* bishop
éviter (de), to avoid
évoluer, to change, to manoeuver, to act
évoquer, to evoke, to conjure up
examen, *m.* examination, study
exercer, to practice
exercice, *m.* exercise, training
    dans l'exercice de leurs fonctions, in the discharge of their duty
expérience, *f.* experiment, experience
expliquer, to explain
exposer, to disclose, to state
exprimer, to express
    s'exprimer, to express oneself
extérieur, *m.* outside
    à l'extérieur, outside

f

fabliau, *m.* medieval short story
fabrication en série, *f.* mass production
fabriquer, to manufacture
façon, *f.* fashion, manner, way
    de façon à, in order to
    de toute façon, anyway
    sans façon, informally
facteur, *m.* mailman
faible, *adj.* low, weak, feeble
faiblesse, *f.* weakness
faillir, to almost do, fall short
faillite, *f.* bankruptcy
faire, to make, to do, to execute
faire bonne chère, to fare, eat well
faire des projets, to plan for the future
faire des vers, to write poetry
faire le pont, to have a long weekend
faire partie de, to belong to
faire pressentir, to foreshadow
faire valoir, to exploit, to develop
fait, *m.* fact
    de ce fait, for that reason, thereby
    du fait de, because of
    du fait que, in view of the fact
falaise, *f.* cliff, palisade
farine, *f.* flour

fatal, -e, *adj.* inevitable
faute, *f.* fault, mistake, lack
faute de, for lack of
féérique, *adj.* fairy-like
femme, *f.* woman, wife
féodal, -e, *adj.* feudal
  régime féodal, *m.* feudal system
fer, *m.* iron
fer-blanc, *m.* tin
ferme, *f.* farm
fermier, *m.* farmer
Fermier général, *m.* farmer-general
  (tax collector during the French
  monarchy)
ferroviaire, *adj.* railway
festin, *m.* feast, banquet
fête, *f.* feast, holiday, party
feu, *m.* fire
feu d'artifice, *m.* fireworks
feu de joie, *m.* bonfire
fief, *m.* feudal estate
  en fief, in trust
fifre, *m.* fife-player
fil, *m.* thread, string
filateur, *m.* spinner
filature, *f.* spinning-mill
fils, *m.* son
fin, *f.* end
finir, to end
finir par, to end up by
flanc, *m.* flank, slope
flâner, to dawdle, to dally
flèche, *f.* arrow, spire
fleur, *f.* flower
fleuri, -e, *adj.* in bloom
  barbe fleurie, *f.* white beard (re-
  ferring to Charlemagne)
fleuve, *m.* river
flux et reflux, *m.* the flow and ebb of
  the tides
foi, *f.* faith
foie, *m.* liver
  pâté de foie gras, *m.* goose liver
  pâté
foire, *f.* fair
fois, *m.* time (repeated)
  à la fois, at the same time
folie, *f.* folly, foolishness, madness,
  insanity
foncièrement, *adv.* fundamentally,
  thoroughly

fonctionnaire, *m.* office-holder, civil
  service employee
fond, *m.* bottom
  au fond de, at the far end of, in the
  background
fondateur, *m.* founder
fondation, *f.* founding
fonder, to found
fonds, *m. pl.* assets
  détourner les fonds, to embezzle,
  misappropriate
fortement, *adv.* greatly
fortuné, -e, *adj.* wealthy, fortunate
fossé, *m.* ditch
fou, folle, *adj.* crazy
fougue, *f.* fire, heat, ardor
four, *m.* oven
fourmi, *f.* ant
fournir, to furnish, to supply
fournisseur, *m.* supplier (of a busi-
  ness)
foyer, *m.* fireplace, home
fraîcheur, *f.* freshness, coolness
frais, fraîche, *adj.* fresh, cool, recent
frais, *m. pl.* expenses
français, -e, *adj.* French
  à la française, in the French way
fraternel, -le, *adj.* brotherly
froid, -e, *adj.* cold
froideur, *f.* coldness
fromage, *m.* cheese
fuite, *f.* flight
(au) fur et à mesure que, in proportion
  to

g

gagner, to gain, to earn, to win
gagner sa vie, to earn one's living
galet, *m.* beach pebble
gamme, *f.* gamut
garder, se (de), to retain, to keep,
  to guard, to take care, to be
  careful not to
garderie, *f.* day-nursery
gâteau, *m.* cake
gauche, *f.* left
gauche, *adj.* left, awkward
  à gauche, on the left

gazeux, -se, *adj.* gazeous
gêne, *f.* inconvenience, trouble, bother
gêner, to bother
genêt, *m.* broom, furze, gorse
génie, *m.* genius, talent
genre, *m.* kind, gender, type; literary form
genre de vie, *m.* way of life
geste, *m.* gesture
gigantesque, *adj.* gigantic
gigot, *m.* leg of lamb
gisement, *m.* bed, lode, seam
gisement de pétrole, *m.* oil field
gisement de potasse, *m.* potash seam
glace, *f.* ice, ice cream, mirror
glacer, to freeze, to chill, to congeal
glaneur, -se, *m. & f.* gleaner, picker
goût, *m.* taste
goûter, to taste, to appreciate
goutte, *f.* drop
gouvernant, *m.* person who governs
gouvernement, *m.* government
gouverner, to govern
grâce à, thanks to
grand, -e, *adj.* big, tall, great
Grande Bretagne, *f.* Great Britain
grandeur, *f.* grandeur, greatness, size
grandir, to become great or taller, to grow up
grandissant, -e, *adj.* growing
grappe, *f.* cluster, bunch
gratte-ciel, *m.* skyscraper
gratuit, -e, *adj.* free
grave, *adv.* serious
graver, to engrave
gravure, *f.* engraving
grec, -que, *adj.* Greek
Grec, -que, *m. & f.* Greek (noun)
grève, *f.* strike, beach
gros, -se, *adj.* big, large, thick
grossesse, *f.* pregnancy
grossier, -ère, *adj.* rough, coarse
grossir, to enlarge, to increase in size, to expand
guérir, to cure
guerre, *f.* war
guerre mondiale, world war
guerrier, *m.* warrior
guerrier, -ère, *adj.* warlike
gui, *m.* mistletoe

h

habiter, to live, to reside
habitude, *f.* habit, custom, practice
habitué, -e, *adj.* used to
haras, *m.* stud-farm (for horses)
hardiesse, *f.* boldness
hareng, *m.* herring
hasard, *m.* risk, danger
  par hasard, by accident
haut, -e, *adj.* high, loud
hauteur, *f.* height
hémorragie, *f.* hemorrhage
herbe, *f.* herb, grass
héritage, *m.* inheritance
hériter, to inherit
héritier, *m.* male heir
héritière, *f.* female heir
héroïne, *f.* heroine
héros, *m.* hero
hêtre, *m.* beech
heure, *f.* hour
  à l'heure actuelle, at the present time
  de bonne heure, early
histoire, *f.* story, history
hiver, *m.* winter
Hollandais, *m.* Dutchman
homard, *m.* lobster (with large claws)
homme, *m.* man
hôtel, *m.* hotel, inn
hôtel particulier, *m.* mansion, town-house
Hôtel de ville, *m.* city hall
houille, *f.* coal (used to produce electricity)
houille blanche, *f.* white coal (water power)
huile, *f.* oil
Huis clos, closed door, produced under the title *No Exit*
huitre, *f.* oyster
humour, *m.* wit
hypothèse, *f.* hypothesis

i

île, *f.* island
illettré, -e, *adj.* illiterate
illustre, *adj.* illustrious, famous
illustrer, to illustrate

îlot, *m.* islet
imiter, to imitate
immeuble, *m.* building, apartment-house
immuable, *adj.* immovable
importer, to import, to matter
(n') importe, qui, anybody
imposer, s', to assert oneself
impôt, *m.* tax
impôt direct, *m.* income tax
imprimerie, *f.* printing shop
improvisateur -né, *m.* born improviser
incendie, *m.* fire
incommodité, *f.* inconvenience
inconnu, -e, *adj.* unknown, strange
incorporer, to incorporate
indécis, -e, *adj.* irresolute, indistinct, uncertain
indiquer, to show, to indicate
inégal, -e, *adj.* unequal
infatigable, *adj.* untiring
inférieur, -e, *adj.* inferior, lower
infirmière, *f.* nurse
influent, -e, *adj.* influential
infraction, *f.* breach, violation
infranchissable, *adj.* impassable
ingénieur, *m.* engineer
ingénieur des Eaux et Forêts, engineer in the Forestry Service
ingénieur des Ponts et Chaussées, civil engineer, Department of bridges and highways
inopportun, *adj.* inopportune
inoubliable, *adj.* unforgettable
inscription, *f.* inscription, entry, registration
droit d'inscription, *m.* registration fee
inscrire, to enter, to register, to note
inscrire, s', to register oneself
inscrit, -e, *adj.* registered
insolite, *adj.* unusual
inspirer, s' (de), to imitate freely, to take as a base
instituteur, institutrice, *m. & f.* male or female teacher in elementary schools
instruire, to teach, to instruct
instruit, -e, *adj.* educated
intégral, -e, *adj.* full
intendant, *m.* superintendent, manager

intention, *f.* intention, purpose
avoir l'intention de, to intend to
interdire, to prohibit
intéresser, to interest
s'intéresser à, to be interested in
intérieur, *m.* inside
à l'intérieur, inside
internat, *m.* boarding school, internship
intervenir, to intervene
intime, *adj.* intimate
intituler, to entitle
intrigue, *f.* plot, intrigue
inutile, *adj.* useless, unnecessary
irréel, -le, *adj.* unreal
Islande, *f.* Iceland
isolement, *m.* loneliness
isoler, to isolate
isoloir, *m.* polling booth
issu, -e, *adj.* stemming from
ivre, *adj.* drunken

j

jadis, *adv.* formerly, of old
jardin, *m.* garden
jardin d'enfants, *m.* kindergarten
jardin potager, *m.* vegetable garden
jardinier, *m.* gardener
jaune, *adj.* yellow
jeter, to throw
se jeter dans, to flow into
jeu, *m.* game, play, gambling
jeune, *adj.* young
jeunesse, *f.* youth, young people
joie de vivre, *f.* gaiety, zest, keen enjoyment of the pleasures of life
joindre, to join
se joindre à, to join
jouer, jouer à, jouer de, to play, to play a game, to play an instrument
joueur, joueuse, *m. & f.* player
jouet, *m.* toy
jouir (de), to enjoy
jour, *m.* day
jour de l'An, *m.* New Year's Day
jour de repos, *m.* day off
journalier, -ière, *adj.* daily
joyau, *m.* jewel
joyeux, -se, *adj.* joyous, happy
judiciaire, *adj.* judicial, legal

juillet, *m.* July
juger, to judge
jurer, to swear
jusqu'à, *prép.* until, to, as far as
jusqu'alors, until then
jusqu'ici, up to now
jusque-là, *adv.* as far as there, up to
  that time

k

km, *m.* kilometer
kmh, *m. pl.* kilometers per hour
kWh, *m.* kilowatt-hour

l

laid, -e, *adj.* ugly
laine, *m.* wool
  de laine, woolen
laisser, to leave, to let
lait, *m.* milk
  industrie laitière, *f.* dairy industry
  production laitière, *f.* milk production
lande, *f.* moor, heath
langouste, *f.* lobster (without large claws)
langue, *f.* tongue, language
lapin, *m.* rabbit
laquelle, *pron.* which
large, *m.* open sea
large, *adj.* broad, wide
largeur, *f.* width
lecteur, lectrice, *m. & f.* reader
lecture, *f.* reading
léger, -ère, *adj.* light, slight
légèreté, *f.* lightness
légume, *m.* vegetable
lendemain, *m.* day after
lent, -e, *adj.* slow
lenteur, *f.* slowness
lentille, *f.* lens
lentille optique, *f.* optical lens
lequel, *pron.* which
lesquels, lesquelles, *pron.* which
lever, se, to rise, to get up
lever de soleil, *m.* sunrise
Liban, *m.* Lebanon

libérer, to free
  se libérer, to free oneself
liberté, *f.* freedom
libre, *adj.* free, unoccupied
libre arbitre, *m.* free will
libre examen, *m.* free enquiry
licorne, *f.* unicorn
lien, *m.* bond, tie
lieu, *m.* place
  avoir lieu, to take place
  au lieu de, instead of
  donner lieu à, give rise to
ligne, *f.* line
lin, *m.* flax (plant); linen (material)
lire, to read
liseur, *m.* reader
lit, *m.* bed
littéraire, *adj.* literary
livrer, to surrender, to deliver
livret, *m.* libretto of an opera
locataire, *m. & f.* tenant
logement, *m.* lodging, apartment
loi, *f.* law
loin, *adv.* far
lointain, -e, *adj.* far, distant
longtemps, *adv.* long, for a long time
lorsque, *conj.* when, at the time that
louer, to rent
lourd, -e, *adj.* heavy
lourdeur, *f.* heaviness
loyer, *m.* rent
lumière, *f.* light
lune, *f.* moon
  clair de lune, *m.* moonlight
lutte, *f.* fight, struggle
lutter, to fight, to struggle

m

macabre, *adj.* macabre, gruesome, ghastly
machines agricoles, *f. pl.* farm machinery
machines-outils, *f. pl.* machine tools
magasin, *m.* shop, store
magnifique, *adj.* magnificent, splendid
main, *f.* hand
  laisser les mains libres, to give a free hand to
main-d'œuvre, *f.* labor, manpower

maintenant, *adv.* now
maintenu, -e, *adj.* maintained
maintien, *m.* keeping, upholding
maire, *m.* mayor
mais, *conj.* but
maïs, *m.* corn
maison, *f.* house, home
  à la maison, at home
maison de retraite, *f.* home for the aged
maître, *m.* school teacher, master
maîtresse, *f.* school teacher, mistress
maîtresse de maison, *f.* housewife
majeur, -e, *adj.* of age
majorité, *f.* coming of age, greater part
mal, *m.* evil, ache, pain, harm
malade, *adj.* sick
malade imaginaire, hypochondriac
maladie, *m.* sickness
malentendu, *m.* misunderstanding
malgré, *prép.* despite, in spite of
malheur, *m.* misfortune
malheureusement, *adv.* unfortunately
malheureux, -euse, *adj.* unhappy, unfortunate
malhonnête, *adj.* dishonest
malmener, to harry, to bully
Manche, *f.* the English Channel
manger, to eat
manœuvre, *m.* unskilled workman
manque, *m.* lack
manquer (de), to fail, to miss, to lack
maquereau, *m.* mackerel
maraîcher, *m.* salad and vegetable farmer
marais-salant, *m.* salt marsh
marbre, *m.* marble
marchand, -e, *adj.* commercial, merchant
marché, *m.* market
  à bon marché, inexpensive, cheap
marché aux puces, *m.* flea market
marécageux, -se, *adj.* swampy, marshy
marée, *f.* tide
marée basse, *f.* low tide
marée haute, *f.* high tide
marémotrice, *adj.* tide-power
mare nostrum, our sea
mari, *m.* husband

marin, *m.* sailor
marine, *f.* navy
marmite à pression, *f.* pressure cooker
marque, *f.* mark, brand, make
  personne de marque, *f.* person of note or distinction
marqueterie, *f.* inlaid work
marronnier, *m.* chestnut-tree
marronnier d'Inde, *m.* horse-chestnut-tree
matière, *f.* matter, material
matière première, *f.* raw material
matin, *m.* morning, in the morning
matinée, *f.* morning
maudit, -e, *adj.* cursed, accursed, damned
mauvais, -e, *adj.* bad
mécanique, *f.* mechanics
mécanique, *adj.* mechanical
mécanique céleste, *f.* movement of celestial bodies
mécanique ondulatoire, *f.* wave
mécène, *m.* maecenas, a patron of the arts, from the name of Virgil and Horace's patron
mécontenter, to displease
médaille, *f.* medal
médecin, *m.* doctor (medical)
médicament, *m.* medicine
meilleur, -e, *adj.* better
mélange, *m.* mixture
mélanger, to mix
mêler, to mix
même, same, even
  à même de, able to
  en même temps, at the same time
ménage, *m.* household
ménagère, *f.* housewife
mener, to lead
meneur, *m.* leader
mensuel, -le, *adj.* monthly
mer, *f.* sea
mer du Nord, North Sea
mère, *f.* mother
  belle-mère, *f.* mother-in-law
merlan, *m.* whiting
merveille, *f.* marvel
  à merveille, marvelously, wonderfully well
merveilleux, -euse, *adj.* wonderful

mesquin, -e, *adj.* niggardly, petty
  esprit mesquin, *m.* narrow-mindedness
messe, *f.* mass (religious service)
messe de minuit, *f.* midnight mass
métayer, *m.* tenant farmer
métier, *m.* trade, profession, craft
métier à tisser, *m.* weaving machine
metteur en scène, *m.* producer
mettre, to put
  se mettre à, to begin
  se mettre de la partie, to get in the act
mettre à exécution, to carry out
mettre au point, to put in working order
mettre en cause, to implicate
mettre en scène, to stage
mettre en valeur, to enhance
mettre fin à, to end
meuble, *m.* furniture
meurtri, -e, *adj.* bruised
midi, noon
Midi, *m.* the south (esp. of France)
mieux, *adv.* better
mièvre, *adj.* affected
milieu, *m.* middle, center, environment, class
  juste milieu, *m.* happy medium
milieu ouvrier, *m.* working class
mince, *adj.* thin
mineur, -e, *adj.* under age
mineur, *m.* minor, miner
minime, *adj.* minimal
misère, *f.* poverty
mode, *f.* fashion
  à la mode, fashionable
modéré, -e, *adj.* moderate
mœurs, *f. pl.* customs, usages, habits, practices
moine, *m.* monk
moins, *adv.* least
  au moins, at least
moitié, *f.* half
moment, *m.* moment, time, period
monde, *m.* world
  tout le monde, everybody
mondain, -e, *adj.* worldly, belonging to society
mondial, -e, *adj.* worldwide
montrer, to show

moquer, se (de), to make fun of
morceau, *m.* piece
morceler, to parcel out
mordant, -e, *adj.* biting
mordre, to bite
morsure, *f.* bite
mort, *f.* death
mort, *m.* dead man
mort, -e, *adj.* dead
morue, *f.* cod
mot, *m.* word
mouche, *f.* fly
moule, *f.* mussel
moulin, *m.* mill
mousse, *m.* ship's apprentice
moutarde, *f.* mustard
mouton, *m.* sheep, mutton
mouton de Panurge, *m.* from an anecdote by Rabelais, meaning "one who follows blindly"
moyen, *m.* means
  au moyen de, *prép.* by means of
moyen, -enne, *adj.* average, middle-size
moyennant, *prép.* by means of, in return for
moyeu, *m.* hub
mur, *m.* wall
murier, *m.* mulberry-tree
musée, *m.* museum
musulman, *m.* Moslem
mutilé, -e, *adj.* maimed, disabled

n

nacelle, *f.* gondola, basket
naguère, *adv.* lately
naissance, *f.* birth
  donner naissance, to give birth
naissant, -e, *adj.* newly-born, being born, budding, nascent
naître, to be born
natal, -e, *adj.* where one is born
  terre natale, *f.* birthplace
natalité, *f.* birth
natation, *f.* swimming
natif, -ve, *adj.* native, born
nature morte, *f.* still life (in painting)
naufrage, *m.* shipwreck
navire, *m.* ship, boat, vessel
né, -e, *adj.* born

néanmoins, *adv.* nevertheless
néant, *m.* nothingness
nef, *f.* nave
négligence, *f.* neglect
négliger, to neglect
neige, *f.* snow
neiger, to snow
nervure, *f.* rib used in gothic cathedrals
net, nette, *adj.* clean, clear
neveu, *m.* nephew
nid, *m.* nest
nid de cigogne, *m.* stork's nest
niveau, *m.* level
noblesse, *f.* nobility
noce, *f.* wedding
Noël, *m.* Christmas
　Père Noël, *m.* Santa Claus
noir, -e, *adj.* black
nombreux, -se, *adj.* numerous
nommer, se, to name, to nominate, to be named
non-rimé, -e, *adj.* without a rhyme
Norvège, *f.* Norway
note, *f.* note, grade (in school)
nourrir, to nourish, to feed
nouveau, nouvel, -le, *adj.* new (newly acquired)
　de nouveau, again, once more
nouveauté, *f.* novelty
noyau, *m.* nucleus
nu, -e, *adj.* naked
nuage, *m.* cloud
nuit, *f.* night
numéro, *m.* number

o

obligatoire, *adj.* compulsory
obsédé, -e, *adj.* obsessed
occasion, *f.* bargain, second-hand
occuper, s', to take care of
octroi, *m.* city toll
odorat, *m.* sense of smell
œuvre, *f.* work (of art)
oie, *f.* goose
ombrager, to shade
(théorie) ondulatoire, *f.* wave theory
opprimé, -e, *adj.* oppressed
or, *m.* gold
ordonner (de), to order, to command

organe, *m.* organ, political body
organisateur, *m.* organiser
organisme, *m.* political body, association
orge, *f.* barley
originaire, *adj.* native
orné, -e, *adj.* decorated
orner, to decorate
osé, -e, *adj.* daring
oser, to dare
oublier, to forget
outil, *m.* tool
outil agricole, *m.* farm implement
(à) outrance, to the death
outre-mer, *adv.* overseas
ouvert, -e, *p.p.* d'ouvrir, opened
ouverture, *f.* opening
ouvrage, *m.* work
ouvrier, *m.* workman
ouvrier mécanicien, *m.* machinist

p

païen, -ienne, *adj.* pagan
pain, *m.* bread
paisible, *adj.* peaceful
paître, to graze
paix, *f.* peace
Pâques, *m. pl.* Easter
paraître, to appear, to be published
　apparaître, to appear, to loom up
　disparaître, to disappear
parapluie, *m.* umbrella
parce que, *conj.* because, for
parcourir, to cover
parfait, -e, *adj.* perfect
parfois, *adv.* sometimes
parfum, *m.* perfume
paria, *m.* outcast
parmi, *prép.* among
partager, to divide, to share
partenaire, *m. & f.* partner
parterre, *m.* flower-bed, background
particulier, *m.* private individual
particulier, -ère, *adj.* particular, private
partie, *f.* part, match, game
partir, to leave
　à partir de, since, from
　à partir de ce moment, from that time on

partout, *adv.* everywhere
paru, *p.p. de* **paraître** published, appeared
pas, *m.* step
passage à niveau, *m.* grade crossing
passager, -ère, *adj.* passing, momentary
passant, *m.* passerby
passer, se, to happen
passer par, to go through
passionner, to excite, to captivate
pâte, *f.* dough
pâte alimentaire, *f.* fancy dough, like macaroni, noodles, spaghetti, etc.
patrie, *f.* fatherland
patron, *m.* boss, patron, master
pâturage, *m.* pasture, grazing ground
pauvre, *adj.* poor
pavillon, *m.* small house
payant, -e, *adj.* where one pays a fee
paye, *f.* wages
pays, *m.* country (nation)
paysage, *m.* landscape
péage, *m.* toll
peau, *f.* skin, hide
peau de chagrin, *f.* shagreen
pêche, *f.* fishing
pêche à la crevette, *f.* fishing for shrimp
pêcheur, *m.* fisherman
peindre, to paint
peint, -e, *adj.* painted
peinture, *f.* painting
pélerin, *m.* pilgrim
pélerinage, *m.* pilgrimage
pendant, *prép.* during
pendant que, *conj.* while
pendre, to hang
pendu, *m.* a man killed by hanging
pénible, *adj.* difficult, hard, trying
péniche, *f.* river barge
pensée, *f.* thought
penser, to think, to believe
penseur, *m.* thinker
pensionnaire, *m.* resident, retired soldier
pépinière, *f.* plant nursery
percement, *m.* opening, cutting, tunnelling

percer, to pierce, to cut through
perdre, to lose
se perdre, to lose oneself, to be wrecked, to be lost
perdu, -e, *adj.* lost
perfectionner, to improve
perforé, -e, *adj.* perforated
perle, *f.* pearl
permettre, to permit, to make possible
permis, -e, *adj.* permitted
personnage, *m.* character (in a story or a work of art)
perte, *f.* loss, ruin
pesanteur, *f.* weight, gravity
peste, *f.* plague
peste bubonique, *f.* bubonic plague
petit, -e, *adj.* little, small
petit pois, *m.* pea
petites gens, *f. pl.* lower-class people
pétrole, *m.* petroleum
pétrole brut, *m.* crude oil
peu, *adv.* little
à peu près, approximately
peu de, a little of, few
peuple, *m.* the lower class; the inhabitants, the peoples
phare à lentille, *m.* beacon with lenses
phénomène, *m.* phenomenon
physicien, *m.* physicist
pic, *m.* peak
à pic, perpendicularly, sheer drop
pièce, *f.* room, play, literary or musical selection
pied, *m.* foot
à pied, on foot
au pied de, at the foot of
sur un pied de guerre, on a war footing
pierre, *f.* stone
piéton, *m.* pedestrian
pilier, *m.* column
pillard, *m.* looter, plunderer
piller, to plunder
pittoresque, *adj.* picturesque
place, *f.* square, seat, room (space)
de place en place, here and there
sur place, on the spot
plafond, *m.* ceiling
plage, *f.* beach

plaie, *f.* wound, sore
plaisant, -e, *adj.* pleasing
plaisanterie, *f.* joke, quip
plaisir, *m.* pleasure
plat, -e, *adj.* flat
plat, *m.* dish
   un petit plat fin, a very elaborate and savory dish
platane, *m.* plane-tree
plein -e, *adj.* full
   en plein air, outdoors
pleuvoir, to rain
plisser, to fold
plomb, *m.* lead
pluie, *f.* rain
plupart, *f.* greater part, most
plus, more
   de plus, moreover
   de plus en plus, more and more
   en plus de, besides, in addition
   encore, plus still more
   ne . . . plus, no more, no longer
   plus ou moins, more or less
plusieurs, *adj. pl.* several
plutôt, *adv.* rather
pneu ou pneumatique, *m.* tire
poche, *f.* pocket
poids, *m.* weight
point, *m.* point, period
   être sur le point de, to be on the verge of
   point de vue, standpoint, opinion
poisson, *m.* fish
poissonneux, -se, *adj.* full of fish
Pologne, *f.* Poland
polonais, -e, *adj.* Polish
Polonais, -e, *m. & f.* Pole
pomme, *f.* apple
pomme de terre, *f.* potato
pont, *m.* bridge
porc, *m.* pig, pork
porcelaine, *f.* chinaware, bone china
port, *m.* port, harbor
portage, *m.* carrying
porter, to wear, to carry, to bear
   se porter, to be (health)
posséder, to own
poste, *m.* position, post
poste-émetteur, *m.* transmitter
postes et messageries, public mail and parcel service

potage, *m.* soup
poule, *f.* hen
   mettre la poule au pot, "a chicken in every pot"
poulet, *m.* chicken
pour, *prép.* for, in order to
   pour ainsi dire, so to speak
pourquoi, *conj. adv.* why
poursuivre, to pursue
pourvoir, se (en), to appeal to
pousser, to push, to grow
pouvoir, to be able
pouvoir, *m.* power, authority
pratique, *f.* practice
pratiquer, to practice
précédent, -e, *adj.* preceding, previous, earlier
précepteur, *m.* private tutor
prêcher, to preach
préciser, to specify
   se préciser, to become clear
préconçu, -e, *adj.* preconceived
   idée préconçue, *f.* preconception
précurseur, *m.* precursor, forerunner
premier, -ière, *adj.* first
   premier plan, *m.* foreground
prendre, to take
pré, *m.* meadow
pré salé, *m.* salt meadow
(se) présenter à un examen, to take an examination
préserver, to protect, to preserve, to save
presque, *adv.* almost
pression, *f.* pressure
prêt, *m.* loan
prêt, -e, *adj.* ready
prêtre, *m.* priest
preuve, *f.* proof
   faire preuve de, to evince, to manifest
prévoir, to foresee
prier (de), to pray, to ask, to beg
prière, *f.* prayer
primaire, *adj.* primary, elementary
primeur, *f.* early vegetable
principe, *m.* principle
principe de base, basic principle
printemps, *m.* spring
prise, *f.* grasp, capture, taking
privé, -e, *adj.* private

prix, *m.* price, prize
  à tout prix, at any cost
procédé, *m.* method, procedure action
proche, *adj.* near, close by
Proche-Orient, *m.* Near East
proclamer, to proclaim
produire, to produce
produit, *m.* product
produit chimique, *m.* chemical
profit, *m.* advantage, profit
  au profit de, in favor of
profond, -e, *adj.* deep
profondeur, *f.* depth
prolonger, to last
  se prolonger, to last
propager, se, to travel (light waves)
propre, *adj.* own, clean
(à) proprement parler, strictly speaking
propriétaire, *m. & f.* owner
propriété, *f.* property, ownership
prospère, *adj.* prosperous
protéger, to protect
prouesse, *f.* prowess, bravery, valor
provenir, to come, to derive, to originate
provisoire, *adj.* provisional
provoquer, to be the cause of, to create, to produce
puisque, *conj.* since
puissance, *f.* power
puissant, -e, *adj.* powerful

q

quai, *m.* embankment
quartier, *m.* quarter, district, neighbourhood
que, *pron.* what, which, that
que, *conj.* that, as, whether, than
quel, -le, *adj.* what, which
quelque, *adj.* some, any
quelquefois, *adv.* sometimes
quelques-uns, *pron.* some, a few
querelle, *f.* quarrel, dispute
qui, *pron.* who, that, which, what, whose, whom
quoi, *pron.* what, which
quoique, *conj.* though, although

r

raconter, to relate
radeau, *m.* raft
raffinement, *m.* refinement
raffiner, to refine
raffinerie, *f.* refinery
rage, *f.* rabies
raison, *f.* reason, right
  avoir raison, to be right
raisonnement, *m.* reasoning
rallier, to rally
  se rallier, to rally
ramener, to bring back
ranimer, to revive
rappeler, se, to recall, to remember
rapport, *m.* relation, report
rapporter, to bring back
rapprocher, to bring closer
rayon, *m.* department
rayonnement, *m.* brilliance, radiance, dissemination
rayonner, to radiate
réagir, to react
rebeller, se, to rebel, to revolt
recensement, *m.* census (of the population)
recette, *f.* recipe
recevoir, to receive
  être reçu à un examen, to pass an examination
réchauffer, to warm up
recherche, *f.* search, research
recherche rationnelle, *f.* research based upon reasoning
rechercher, to seek, to look for
récit, *m.* narrative, story
réclamer, to claim, to demand
récolte, *f.* crop, harvest
reconnaître, to recognize
reconquérir, to win back
reconstruire, to rebuild
recueil, collection of poems
reculé, -e, *adj.* remote
reculer, to fall back
rédaction, *f.* essay, composition, drawing-up
redécouvrir, to rediscover
redevenir, to become again
rédiger, to compose, to draft
redonner, to give back

redresser, to straighten up, to restore, to revive
réduire, to reduce
reflet, *m.* reflection
refléter, to reflect, to throw back
  se refléter, to be reflected
régime, *m.* rule, law, government
  Ancien Régime, *m.* the French monarchy before the Revolution
régir, to govern, to manage
règle, *f.* rule, ruler
règlement, *m.* regulation, payment
règne, *m.* realm, kingdom, reign
régner, to reign, to rule
regorger, to overflow, to be packed or crowded
regorger de monde, to swarm with people
reine, *f.* queen
relever, to raise, to revive
  se relever, to recover, to rise again
relier, to connect
remerciement, *m.* thanks, lay-off
  remerciement en masse, *m.* general lay-off
remercier, to thank
remettre sur pied, to put back on its feet
remonter, to go back up, to raise, to go upstream
remorqueur, *m.* tug-boat
remplacer, to replace
remplir, to fill
remporter (une victoire), to win
renaissance, *f.* rebirth
renaître, to be reborn
rendement, *m.* yield, result
rendre, to give back, to return
  se rendre à, to go to
  se rendre compte, to realize
renforcer, to reinforce
renommée, *f.* renown
renoncer, to renounce, to give up
renouveau, *m.* revival
renouvelable, *adj.* renewable
renouveler, restore, renew, renovate
renverser, to overthrow, to spill, to upset
répandre, to pour out, to spread
  se répandre, to spread
répartir, to divide, to distribute

répartition, *f.* distribution
repas, *m.* meal
repentir, *m.* repentance
répétition, *f.* repetition, private lessons, coaching
reposer, se, to rest
reprendre, to take back, to take up again, to get back, to begin again
représentant, *m.* representative, salesman
réseau, *m.* network
réseau ferroviaire, *m.* railway network
réseau routier, *m.* road network
résoudre, to resolve
ressaisir, se, to recover
ressemblance, *f.* resemblance, likeness, similarity
ressembler, to look like, to be like
  se ressembler, to look alike, to be alike
ressentir, to feel
ressortir, to stand out
reste, *m.* remainder
  au reste, *adv.* for that matter
  du reste, *adv.* moreover, besides
rester, to stay, to remain
résultat, *m.* result
rétablir, to re-establish, to restore
retenir, to keep, to detain, to reserve
retirer, to take away, to pull out, to withdraw
retourner, to return
retraite, *f.* retreat
retrancher, se, to retrench, to entrench
réunir, to gather
  se réunir, to join, to combine, to meet
réussir (à), to succeed (in), to manage to
réussite, *f.* success
rêve, *m.* dream
réveiller, se, to waken, to awaken
réveillon, *m.* Christmas or New Year's Eve party
revendication, *f.* claim
revenir, to come back
revenir sain et sauf, to come back safe and sound
revenu, *m.* income
rêver, to dream

réverbérer, se, to reverberate, to echo
revue, *f.* magazine, review
riant, -e, *adj.* pleasant, smiling
richesse, *f.* riches, wealth
rien, nothing
  en rien, at all
rivaliser, to be in competition with
rive, *f.* shore, bank, side
riz, *m.* rice
rocheux, -se, *adj.* rocky
roi, *m.* king
romain, -e, *adj.* Roman
Romain, -e, *m. & f.* Roman
roman, *m.* novel
roman, *adj.* romanesque (architecture)
romancier, *m.* novelist
rond, -e, *adj.* round
rond, *m.* round, ring, circle
rond-de-cuir, *m.* petty official (literally, a leather cushion in the form of a doughnut)
roseau, *m.* reed
rouet, *m.* spinning-wheel
rouge, *adj.* red
rouget, *m.* red mullet
route, *f.* road
royaume, *m.* kingdom
rubrique, *f.* heading
rue, *f.* street
rue à sens unique, *f.* one-way street
rusé, -e, *adj.* wily, foxy
russe, *adj.* Russian
Russe, *m. & f.* Russian

S

sable, *m.* sand
sable mouvant, *m.* quicksand
sacre, *m.* coronation
sacré, -e, *adj.* sacred, holy
sage, *adj.* wise, good, well-behaved
sagesse, *f.* wisdom
sain, -e, *adj.* healthy
sain et sauf, safe and sound
saint, -e, *adj.* holy
saisir, to seize
saisissant, -e, *adj.* thrilling, striking
sale, *adj.* dirty

salle, *f.* hall, large room
saltimbanque, *m.* juggler, tumbler
sang, *m.* blood
sanglant, -e, *adj.* bloody
sans, *prép.* without
santé, *f.* health
saucisson, *m.* sausage, salami
sauf, *prép.* except, save for
saut, *m.* leap, jump
sauter, to leap, to jump
sauver, to save
  se sauver, to escape, run away
savant, *m.* scientist
savant, -e, *adj.* learned
savoir, to know (a fact)
savon, *m.* soap
savonnerie, *f.* soap industry
savoureux, -se, *adj.* tasty, savory
scolaire, *adj.* scholastic
  programme scolaire, *m.* school program
scrutin, *m.* ballot, vote
  premier tour de scrutin, *m.* first round of voting
sec, sèche, *adj.* dry
sécher, to dry
seconder, to help, to support
seigneur, *m.* nobleman, lord, master
seigneurial, -e, *adj.* belonging to the nobility, lordly, manorial
séjour, *m.* stay
séjourner, to stay
semaine, *f.* week
semblable, *m.* fellow-man
semblable, *adj.* similar, alike
sens, *m.* sense, meaning, direction
sensiblement, *adv.* noticeably, appreciably, deeply
sentiment, *m.* feeling
sentir, to feel, to smell
séparer, to separate
serment, *m.* oath
serpent, *m.* snake
serpentin, *m.* streamer of paper
servir, to serve
  se servir de, to use, to make use of
seul, -e, *adj.* alone, only
siècle, *m.* century
siège, *m.* seat, siege
siéger, to sit, to be in session
siffler, to whistle

silloner, to criss-cross
simplement, *adv.* simply
sinon, *conj.* otherwise
situation, *f.* position
situé, -e, *adj.* located
squelette, *m.* skeleton
sobre, *adj.* moderate, sparing
soi, *pron.* oneself, himself, herself, itself
soie, *f.* silk
soif, *f.* thirst
  avoir soif, to be thirsty
soigneusement, *adv.* carefully, meticulously
soigneux, -se, *adj.* careful, meticulous
soin, *m.* care
  avec soin, carefully
  avoir soin de, to be careful to, to take care to
soir, *m.* evening
soit . . . soit, *conj.* either . . . or
soit . . . que, whether . . . or
sol, *m.* ground, earth
soldat, *m.* soldier
soleil, *m.* sun
  au soleil, in the sun
  coucher de soleil, *m.* sunset
  lever de soleil, *m.* sunrise
solennel, -le, *adj.* solemn, formal
sombre, *adj.* somber, dark, gloomy
somme, *f.* sum
sommet, *m.* summit, top
son, *m.* sound
sort, *m.* lot, fate
(de) sorte que, *conj.* so that
sortie, *f.* exit, departure
sortir, to go out, to leave
sortir de, to get out of
soude, *f.* soda (chemical)
souffert, *p.p.* **de souffrir,** suffered
souffler, to blow, to breathe heavily
souffrance, *f.* suffering
souffrir, to suffer
soufre, *m.* sulphur
souhaitons, let us hope
soulever, to raise, to lift up
  se soulever, to revolt
soulier, *m.* shoe
souligner, to underline
soumettre, to submit
  se soumettre, to submit

soumis, -e (à), *adj.* subjected to
souple, *adj.* flexible
source, *f.* spring, springhead
sourire, *m.* smile
sourire, to smile
sous, *prép.* under
sous-développé, -e, *adj.* underdeveloped
sous-marin, -e, *adj.* underwater
sous-sol, *m.* basement, subsoil
soutenir, to support, to sustain, to uphold
souvent, *adv.* often
spirituel, -le, *adj.* witty
stage, *m.* course of training (not in a school)
stagiaire, *m. & f.* person under instruction (not in a school)
station balnéaire, *f.* seaside resort
station thermale, *f.* spa
subconscient, *m.* subconscious
subir, to undergo
subir une défaite, to meet with defeat
subtile, *adj.* subtle
subventionner, to subsidize
succéder, to succeed
sucre, *m.* sugar
sud, *m.* south
les pays Sudètes, Sudetenland
suffire, to suffice
  se suffire, to support oneself
  il suffit, it is enough
suggérer, to suggest
Suisse, *f.* Switzerland
suivant, according
  en suivant, following
suivre, to follow
sujet, *m.* subject
  au sujet de, concerning
supérieur, -e, *adj.* superior, higher
supprimer, to eliminate
surcroît, *m.* increase
surgir, to rise, to appear
surmonter, to surmount, to top
surprenant, -e, *adj.* surprising
surtout, *adv.* above all, especially
surveiller, to watch over, to look after
survenir, to take place
suzerain, *m.* overlord
système solaire, *m.* solar system

t

tableau, *m.* picture
tablette de chocolat, *f.* bar of chocolate
tâche, *f.* task, work
taille, *f.* waist, size
tandis que, *conj.* while, whereas
(en) tant que, as
tantôt, *adv.* presently
tantôt . . . tantôt, now . . . now
tapisserie, *f.* tapestry
tard, *adv.* late
  plus tard, later
tartine, *f.* buttered slice of bread
taureau, *m.* bull
taux, *m.* rate
teint, *m.* complexion
tel, -le, *adj.* such, such a, similar
télégraphie sans fil, *f.* wireless
tellement, *adv.* so, so much
tel quel, as is
témoin, *m.* witness
tempéré, -e, *adj.* temperate
temps, *m.* time, weather
  de temps en temps, from time to time
  en même temps, at the same time
tendance, *f.* tendency
  avoir tendance à, to tend to
tendre, to extend, to bend
tenir, se, to hold, to keep, to remain
  cela tient au fait que, it is due to the fact that
tentation, *f.* temptation
terminer, to end
ternir, to tarnish, to soil
terrain, *m.* ground, land, field
terre, *f.* earth, ground, domain
  terre à terre, unimaginative, prosaic, matter-of-fact
Terre-Neuve, *f.* Newfoundland
terrestre, *adj.* earthly, on earth, of the earth
territoire, *m.* territory
tête, *f.* head, top
  tenir tête à, to resist
thé, *m.* tea
Thermes, *m. pl.* Roman baths
tiers, *m.* third
tiers état, *m.* the Third-Estate

tilleul, *m.* linden tree
tintement, *m.* jingling
tirer, to take
tireur isolé, *m.* sniper
tissage, *m.* weaving
tisser, to weave
  métier à tisser, *m.* weaving loom
tissu, *m.* tissue, fabric
tissu cellulaire, *m.* cell tissue
titre, *m.* title
toile, *f.* linen cloth, canvas
toile de fond, *f.* backdrop
toit, *m.* roof
tombeau, *m.* tomb, monument
tomber, to fall, to drop
tonnere, *m.* thunder
tortueux, -se, *adj.* twisting, winding
tôt, *adv.* early, soon
  plus tôt, earlier
touché, -e, *adj.* affected, moved
toujours, *adv.* always
tour, *f.* tower
tourmenté, -e, *adj.* tormented, very irregular
tournée, *f.* tour (actors and musicians)
tournoi, *m.* tournament, tourney, tilt
Toussaint, *f.* All Saints' Day
tous, all
tout, -e, -es, *adj.* all
tout en, while
tout le monde, everybody
tout-Paris, *m.* Parisian society
traduction, *f.* translation
traduire, to translate
trahison, *f.* treason
(être en) train de, to be in the act of, to be busy with
trait, *m.* feature
  animal de trait, *m.* draught-animal
  avoir trait à, to be connected with, to refer to
  trait de caractère, *m.* moral characteristic
traité, *m.* treaty
traiter, to treat
trajet, *m.* journey
trame, *f.* texture, web
tranche, *f.* portion, slice, group
tranchée, *f.* trench
transcrire, to transcribe

transmettre, to transmit, to pass on
transmis, -e, *adj.* transmitted
transport fluvial, *m.* river navigation
travail, *m.* (*pl.* **travaux**), work
    Ministère du Travail, *m.* Labor Department
travailler, to work
travailleur, *m.* workman, worker
travaux manuels, *m. pl.* manual work training
travaux publics, *m. pl.* public works
(à) travers de, through
traverser, to cross
trépassé, *m.* dead, deceased
tribu, *f.* tribe
trône, *m.* throne
trottoir, *m.* sidewalk
troubles, *m. pl.* riots
troué, -e, *adj.* with holes
troupeau, *m.* herd
trouver, to find
    se trouver, to be, to be situated, to find oneself
trouvère, *m.* troubadour, minstrel
tuer, to kill
tuerie, *f.* slaughter
tuile, *f.* tile
tutelle, *f.* tutelage
typique, *adj.* typical

u

unir, to unite
usine, *f.* factory, works, mill
utile, *adj.* useful
utiliser, to use

v

vache, *f.* cow
vain, -e, *adj.* futile
vaincre, to defeat
vaincu, -e, *adj.* defeated
vainqueur, *m.* conqueror, winner
vainqueur, *adj.* victorious
valeur, *f.* value
vallonné, -e, *adj.* hilly

vapeur d'eau, *f.* steam
veau, *m.* calf, veal
vécu, -e, *adj.* lived
veille, *f.* eve, day before
    à la veille de, on the verge of
vivre, to live
vélo, *m.* bicycle (familiar)
velours, *m.* velvet
vendange, *f.* grape harvest
venir, to come
vent, *m.* wind
ver, *m.* worm
ver à soie, *m.* silk-worm
verdoyant, -e, *adj.* verdant
verdure, *f.* green vegetation
verger, *m.* fruit garden
véritable, *adj.* true, real
vérité, *f.* truth
verre, *m.* glass
verrerie, *f.* glassware
vers, *prép.* toward, around
vers, *m.* verse, line of poetry
verser, to pour out, to pay
vert, -e, *adj.* green
vestige, *m.* vestige, trace, remain
vêtement, *m.* garment; *pl.* clothes
viande, *f.* meat
victorieux, -se, *adj.* victorious
vide, *adj.* empty
vie, *f.* life
vie courante, *f.* everyday life
vieillard, *m.* old man
vieillards, *m. pl.* the elderly, the aged
vieillesse, *f.* old age
vierge, *f.* virgin
vieux, vieil, -le, *adj.* old, ancient
vif, vive, *adj.* brisk, brilliant, intense
vigne, *f.* grape-vine
vignoble, *m.* vineyard
ville, *f.* city
vin, *m.* wine
violemment, *adv.* violently
vis à vis, opposite, towards
vis à vis de, in relation to
vite, *adv.* fast, swiftly
vitesse, *f.* speed
vitrail, *m.* (*pl.* **vitraux**), stained glass window
vitrine, *f.* window (of a store)
vivant, -e, *adj.* lively, vivid, lifelike
    langue vivante, *f.* modern language

vivre, to live

vœu, *m.* vow, desire, wish

voie, *f.* way, road, path, channel, means

en voie de, in process of

voie ferrée, *f.* railroad

voir, to see

voisin, -e, *adj.* near, neighbouring

voiture, *f.* carriage, car

voiture de livraison, *f.* delivery cart or van

vol, *m.* theft, flight

volaille, *f.* poultry

volcan, *m.* volcano

volcan éteint, *m.* extinct volcano

voler, to fly, to steal

volet, *m.* shutter

volonté, *f.* will

volontiers, *adv.* willingly, gladly, readily

vouer, to devote

vouloir, to wish, to want

(en) vouloir à, to have a grudge against

vouloir bien, to be willing

vouloir dire, to mean

voûte, *f.* vault

voyage, *m.* trip

voyager, to travel

vrai, -e, *adj.* true

vraisemblance, *f.* verisimilitude, appearance of truth

vue, *f.* sight, view

Index

cours d'adultes 243–244
Cour des Comptes 225
cours d'eau 160–161
Crécy 22
Crimée 105
critique (voir esprit critique)
croisades 21, 22, 33
Cro-Magnon 4
cubisme 114, 143
cultures 163–165
Curie, Pierre et Marie 150–151
Cuvier 101

Daguerre 121
D'Alembert 74
Dargilan 210
Darwin 102
David 78, 97
Deauville 199
Debierne 150
Debussy 146
décentralisation 330
Déclaration des droits de l'homme
et du citoyen 70, 74
Decroly 236
Défense Nationale, gouvernement
106
De Gaulle 131, 132, 133, 136
Degas 112
Delacroix 98
Demy 149
départements 86, 226, 228
Descartes 58–59, 64
Destouches 135
déterminisme 109
Diane de Poitiers 192
Diderot 74, 79
Dieppe 200
Dijon 202
Dinard 199
Distractions 260–262
doctorat 241
dolmen 5
Dôme, église 182
Donzère-Mondragon 170
Dordogne 160
Douarnenez 200
drame 93, 95
druides 3
Du Bellay 44, 208
Duguay-Trouin 201
Dukas 119

Duparc 119

écoles (voir enseignement)
écoles, administration 235–236
écoles, programmes 234, 236–237
Ecole de l'Air 242
École Centrale 242
École des Chartes 242
École des Eaux et Forêts 242
écoles françaises à l'étranger 265
École de Grignon 242
École des Hautes Études Commer-
ciales 242
École de Médecine 181, 182
École Militaire 184
École des Mines 242
École Nationale d'Administration
242
École Nationale Supérieure des Arts
Décoratifs 242
École Nationale Supérieure des
Beaux-Arts 242
École Navale 242
École Normale Supérieure 181, 242
École des Parents 245
École Polytechnique 181, 242
école parnassienne 109
École des Ponts et Chaussées 242
École de Saint-Cyr 242
École Supérieure d'Électricité 242
économie politique 72
Édit de Nantes 43, 51, 53
Edouard III 22
éducation (voir enseignement)
Église (voir religion)
Égypte 101, 186
Eiffel, Gustave 184
Elbe 85, 86, 194
élections, électeurs (voir système
électoral)
électricité, électrification 101, 121,
169
électron, électronique 150, 151, 198
élevage 165
Eluard 138–139, 148
Élysée 177, 186
empire, premier 85–86, 234
empire romain 3, 4, 9, 39, 97, 157,
233, 249
empire, second 105–106, 122, 178,
192, 226
Encyclopédie 74–75

énergie 169–172
enluminures 35
enseignement 10, 41, 74, 86, 127, 233-244
enseignement élémentaire 233–234, 236, 237
enseignement secondaire 234, 236–237, 238
enseignement supérieur 234, 238–244
enseignement technique 238
Entente cordiale 128
Érasme 42
Escoffier 267
Ésope 57
Espagne 9, 26, 42, 51, 52, 53, 86, 157, 158
esprit critique 41, 42, 54, 58, 64, 72, 245
esprit gaulois 26
Estérel 212
États généraux 69, 70
États-Unis 71, 129, 130, 164, 167, 260, 266
Étoile 122, 179, 185, 186
Eugénie, impératrice 192
Évian 214
existentialisme 137, 141–143
Eylau 85

fables 57–58
fabliaux 26
Faculté de Droit 181
Faculté de Théologie 75
Faculté des Lettres 180
Falaise 18
famille 255–256
Faur 119
Fauves 143
femme 13, 22, 26, 54, 56, 134, 139, 228, 244, 251, 256
féodalité 12
fêtes et congés 258–260
Figaro 75
Flandre 53, 158
Flaubert 108, 202
fonctionnaires 229–230, 235
Fontaine 121
Fontainebleau 45, 191, 194
Fontainebleau, école d'art 111
Forest 121
Fougères 18
Fouquet, Jean 34

Fouquet, Nicolas 192
Fourier 89
Fragonard 76–78
Français, caractéristiques 249–250
Franche-Comté 53
Franck 119
François 1er 14, 41, 45, 47, 48, 181, 192, 194, 233, 241, 261
François-Ferdinand 128
Francfort 106
Francs 9, 249
Frémiet 206
Fresnel 101
Fronde 52
frontières 157–158
Front populaire 131
Fulton 63

Gabin 149
gallo-romaine, période 3–6, 178, 191, 198, 202, 212
Gambetta 106
Gance 149
Gard 170
Gargantua 44
Garnier 117
Garonne 160, 164, 204, 205
gastronomie, cuisine française 215, 256, 267
Gauguin 114–115
Gaule 3, 4, 9
Gaulois 3, 4, 6, 249
Gautier 109
Gauvain 26
Gémissiat 170
Genève 160
géométrie analytique 64
Gérardmer 159
Géricault 98
Germanie (voir Allemagne)
Gide 134
Gif 151
Giraudoux 135
Gironde 160, 205
Gisors 191
Gobelins 34, 62
Goddard 149
Godefroy de Bouillon 21
gothique 30, 32, 33, 47, 182, 199, 206, 209
Gounod 118
Grande Bretagne 131, 167, 250

Niepce 121
Nîmes 6, 7
noblesse 69, 255
Nord, mer 157, 160, 162
Normands 11, 34
Normandie, province 11, 22, 165, 166, 168, 173, 191, 199, 205, 206
Normandie, duc 11, 13, 14, 22, 191
Notre-Dame de Paris 30, 85, 179, 180
Notre-Dame de la Garde 203
Notre-Dame-la-Grande 16
Nouvelle Calédonie 226
Noyon 191, 192

Océanie 127
Odeillo 171
Oise 160, 191
opéra, musique 62–63, 75, 80, 118–119, 177
Opéra de Paris, monument 117
Opéra, place 178
Orange 7
Ordonnances de Juillet 87
Orient, Proche-Orient 34, 91, 97, 203, 249
Orléans 23, 25, 89
ouvriers 120, 233, 243, 252–255, 257

Palais-Bourbon 170
Palais, Grand et Petit 122, 183
Palais de Justice de Paris 180
Palais de Justice de Rouen 34
Palais des Papes 18
paléontologie 101
Panhard 172
Pantagruel 44
Panthéon 182
Panurge 44
Papin, Denis 63
Paré, Ambroise 48
Parentis 171
Paris 3, 6, 16, 22, 25, 31, 32, 34, 35, 45, 47, 62, 64, 69, 80, 86, 93, 106, 122, 128, 132, 140, 144, 164, 171, 172, 177–190, 197, 198, 204, 228, 233
Paris, école d'Art 145
Parlement 180, 219, 220, 222, 229
partis politiques 228–229
Parvis Notre-Dame 177
Pascal 58–59, 64, 159, 192

Pasteur 123–124, 152
Pathelin 26
paysans 252, 257
pays Basque 199, 211
pays Sudètes 131
pêche 200
peinture 32–34, 48, 60, 76–78, 97–98, 111–116, 143–145
Perceval 26
Périgord 167
Perrin 150
Pétain 131
Petit-Saint-Bernard 158
Peugeot 172
Philippe, Gérard 149
Philippe Auguste 21, 22, 187
Philippe de Valois 22
Philippe le Bel 22
"Philosophes" 71–74
philosophie 39, 58–59, 96–97, 137, 141–143
Phocéen 203
photographie 121, 151
physiologie 64, 122
physique 64, 150
Picasso 144
Pic du Midi 158
Pie VII, pape 86
Piémont, roi 106
Pierre l'Ermite 21
plan économique 222, 235
poésie 14, 25–26, 44, 57–58, 89, 90, 91, 109–111, 137–139
Poincaré 151
Poitiers 16, 22
politique sociale 251–252
Pologne 131, 150
polonium 150
Polynésie 115, 226
Pomard 202
Pompadour, Mme de 65
Pompidou 133
Pont Alexandre III 122, 183
Pont du Gard 7
Pont-Neuf 180
population 162, 201, 250–251
Poquelin, Jean-Baptiste (voir Molière)
Port-Royal 192
positivisme 97, 108–109, 120
post-impressionisme, école d'art 114–116

Rossini 75
Roubaix-Tourcoing 173, 201
Rouen 23, 32, 112, 172, 201, 202
Rouget de Lisle 204
Roumanie 128, 140
Rousseau 72, 90, 182
Roussillon 52
Roux 152
Royaumont 191, 192
Rude 99
Russie 85, 105, 128, 129, 131, 139

Sables-d'Olonne 199
Sacré-Cœur 116
Sahara 171
Saint-Cloud 190
Saint-Denis, basilique 190
Saint Denis, martyr 188
Saint-Denis, porte 178
Sainte-Anne d'Auray 208
Sainte Cécile 210
Sainte-Chapelle 33, 180
Sainte-Geneviève 182
Sainte-Geneviève, bibliothèque 181
Sainte-Hélène 85
Saint-Étienne 201
Saint-Étienne, cathédrale 209
Saint-Étienne-du-Mont 182
Saint Exupéry 137
Saint-Germain, forêt 191
Saint-Germain-des-Prés 16
Saint-Germain-en-Laye 192
Saint-Gobin 173
Saint-Gothard 160
Saint-Laurent 201
Saint-Louis (voir Louis IX)
Saint-Louis, église 182
Saint-Malo 201
Saint-Martin, porte 178
Saint-Michel, boulevard 181
Saint-Michel, église 202
Saint-Michel, observatoire 151
Saint-Pierre et Miquelon 226
Saint-Raphaël 199
Saint-Saëns 120
Saint-Sernin 16, 204
Saint-Simon 89, 106
Saint-Trophime 16
salons 54
Saône 160, 202
Sarraute 139
Sartre 137, 141–143

Satie 147
Savoie 106, 214
Sceaux 190
sciences 39, 48, 58–59, 63–64, 80–81,
    100–101, 120–123, 150–151
sculpture 16, 31, 45, 60, 79, 98–100,
    117–118
sécurité sociale 225, 251–252
Sedan 106
Seine 160, 177, 178, 180, 182, 183,
    185, 191, 201, 205, 228
Sénart 191
Sénat 133, 177, 182, 221
Senlis 191, 192
séparation des pouvoirs 71
Serbie 128
Serments de Strasbourg 14
Serre-Ponçon 170
service militaire 225
service de santé 252
Sète 201
Sévigné, Mme de 188
Sèvres 174
Simca 172
socialisme 74, 89, 89, 106
sociologie 97
Soissons 192
Sologne 208
Somalis 226
Sorbonne 25, 75, 141, 150, 181
souveraineté du peuple 73
spleen 110
stéthoscope 102
Strasbourg 198, 201, 204, 209, 239
Suez, canal 122
suffrage (voir système électoral)
Suisse 72, 157, 158, 160
Sully-sur-Loire 32
Surcouf 201
surréalisme, école d'art 144, 147
surréalisme, école littéraire 138–139,
    147
symbolisme, école littéraire 94, 109–
    111, 137
symbolisme en musique 147
syndicalisme 105, 120, 253
système électoral 87, 105, 130, 219,
    220, 228–229
système métrique 81

Tahiti 115
Taine 108

tapisserie 35–36, 62, 146
Tarn 210
Tchécoslovaquie 131
télégraphie 101
télescope 151
Terre-Neuve 201, 208
Terre Sainte 21
Terreur 70–71
Tertre, place 189
Texas 157
théâtre 55–57, 75, 133–137, 177
théâtre de l'absurde 140–141
Thermes 182
Thierry 96
Thiers 106
tiers état 69, 75
Tignes 170
Tilsit 100
tissus cellulaires 152
Tocqueville 96
Toulon 201
Toulouse 16, 25, 201, 204, 233
Touraine 22
Tour Eiffel 122, 179, 184
Tournai 35
Tout-Paris 100
tragédie classique 55–57, 75
Traité de Francfort 106
Traité des Pyrénées 52
Traité de Verdun 10
Traité de Versailles 129
Traité de Westphalie 52
transformisme 102
transports 197–198
Triple alliance 128, 129
Tristan et Yseult 26
Trocadéro 185
trouvère, troubadour 14
tuberculose 152
Tuileries 107, 179, 185
Tunis 22
Tunisie 132, 265
Turcs 21, 39
Turin 122
Turquie 106, 128

Ulm 100
universités 25, 39, 44, 85, 204, 230,
    233, 234, 238, 239, 241, 244
uranium 150, 169
Urbain II 21
urbanisme 122
U.S.S.R. 164

vaccin 123, 152
Val d'Isère 213
Valéry 137–138, 241
Valmy 70
Van Gogh 115–116
Vatel 192, 267
Vaux-le-Vicomte 192
Vence 142
Vendée 199
Vercingétorix 3
Verdun 129
Verlaine 110–111, 117, 147
Versailles 53, 60, 69, 192, 193
Vézelay 16
Vichy 131, 210
vie en France 255–262
Victor-Emmanuel 106
Vierge Marie 35
vignobles, vin 164–165
Vigny 94–95
Vikings 11, 249
Villehardouin 21
villes principales 201–205
Villon 27, 28, 147
Viollet-le-Duc 180, 190
vitraux 34, 35
Vivonne, Catherine 192
Voltaire 67, 71, 79, 182
Vosges 158, 182, 209
Vosges, place 188

Wagram 85
Waterloo 85
Watteau 75–76

Zola 108, 123, 182
zoologie 80, 102